Gabrielle Lord

Traduit de l'anglais par Ariane Bataille

AVRIL

RAGEOT

La mise au point des textes médiévaux a été réalisée
avec l'aide précieuse de Christine Cancel.

Couverture : La cidule*grafic/Nathalie Arnau.

Suivi de la série : Claire Billaud et Guylain Desnoues.

ISBN 978-2-7002-3685-9
ISSN 1772-5771

À Becks.

Je m'appelle Cal Ormond,
j'ai quinze ans,
je suis un fugitif...

Les personnages de mon histoire...

Ma famille : les Ormond

- **Tom** : mon père. Mort d'une maladie inconnue, il a emporté dans la tombe le secret de notre famille qu'il avait découvert en Irlande. Il m'appartient désormais de percer le mystère de la Singularité Ormond grâce aux dessins qu'il m'a légués.
- **Erin** : ma mère. J'aimerais tant lui prouver mon innocence !
- **Gaby** : ma petite sœur, 9 ans. Elle est ce que j'ai de plus cher au monde. Plongée dans le coma, elle se trouve à l'hôpital depuis deux mois.
- **Ralf** : mon oncle. Il est le frère jumeau de mon père.

Dérouté par son attitude depuis la disparition de ce dernier, je ne peux m'empêcher de me méfier de lui.

- **Bartholomé** : mon grand-oncle. Très âgé, il vit à la campagne. Il a transmis sa passion de l'aviation à mon père. Il détient peut-être des renseignements précieux sur notre famille.
- **Piers** : un jeune homme mort au combat en 1918 pendant la première guerre mondiale. Un vitrail du mausolée de Memorial Park le représente sous les traits de l'ange dessiné par mon père.

Les autres

- **Boris** : mon meilleur ami depuis l'école maternelle. Passionné par le bricolage, très ingénieux, c'est un pro de l'informatique. Il est toujours là quand j'ai besoin de lui.
- **Le fou** : je l'ai rencontré la veille du nouvel an. Il m'a parlé le premier de la Singularité Ormond et conseillé de me cacher 365 jours pour survivre.
- **Dep** : le « Dépravé » est un marginal qui m'a sauvé la vie et hébergé dans son repaire secret. Il m'a aidé à récupérer l'Énigme Ormond chez Oriana de Witt. Depuis ce jour, je n'ai plus de nouvelles de lui.
- **Oriana de Witt** : célèbre avocate criminaliste à la tête d'une bande de gangsters, elle cherche à m'extorquer des informations sur la Singularité Ormond. J'ai réussi à lui voler l'Énigme Ormond.

- **Kevin** : jeune homme à la solde d'Oriana de Witt. Il a une larme tatouée sous l'œil.
- **Sumo** : homme de main d'Oriana de Witt taillé comme un lutteur japonais.
- **Vulkan Sligo** : truand notoire, chef d'une bande de malfrats. Il souhaite percer le secret de la Singularité Ormond et me pourchasse sans relâche.
- **Gilet Rouge** : le surnom que j'ai donné à Bruno, l'un des truands à la solde de Vulkan Sligo, car il en porte toujours un.
- **Zombrovski** : un complice de Vulkan Sligo qui surveille Boris de près.
- **Winter Frey** : jeune fille belle et étrange. Après la mort de ses parents, Vulkan Sligo est devenu son tuteur. Souhaite-t-elle sincèrement m'aider ou joue-t-elle un double jeu ?
- **Mon sosie** : qui donc est ce garçon qui me ressemble comme deux gouttes d'eau ? Je l'ai déjà croisé deux fois.
- **Jennifer Smith** : elle a été l'infirmière de mon père. Il lui a confié une clé USB pour moi. Elle a été agressée avant de pouvoir me la remettre.
- **Erik Blair** : un collègue de mon père. Il se trouvait en Irlande avec lui et pourrait avoir des renseignements sur son secret.

Ce qui m'est arrivé le mois dernier...

1er mars

Une mort atroce m'attend. Le train fonce sur moi. Il n'est plus qu'à quelques mètres lorsque, soudain, le sol s'ouvre entre les rails. Dep, un type étrange, vient de me sauver la vie. Il me conduit dans son repaire secret tandis que la police est toujours à mes trousses.

4 mars

En lisant le journal, je tombe sur un article dans lequel ma mère et mon oncle Ralf me supplient de rentrer à la maison. L'état de ma petite sœur Gaby, inconsciente, m'inquiète beaucoup.

8 mars

Je retrouve Boris. Ensemble, nous étudions une fois de plus les dessins légués par mon père. Il me convainc que je dois me rendre à Mount Helicon chez mon grand-oncle Bartholomé, la seule personne susceptible de me fournir des renseignements sur la famille Ormond.

11 mars

Ma photo volée d'Oriana de Witt nous livre un indice : on y discerne les lettres N-I-G-M-E tracées sur un document. Je tente de joindre Erik Blair, un collègue de mon père, mais la standardiste m'annonce qu'il est en congé maladie.

18 mars

Je finis par rencontrer Jennifer Smith dans les locaux des laboratoires Labtech. Elle me révèle qu'elle possède une clé USB que mon père voulait me remettre. Elle contient des photos de prairies et de ruines irlandaises.

Les hommes de main de Vulkan Sligo nous surprennent. Dans ma hâte pour leur échapper, je brise une cage en verre renfermant des vipères de la mort ! L'une d'elles me mord la jambe. Empoisonné, à deux doigts de perdre connaissance, je réussis à repérer le réfrigérateur aux anti-venins et à m'en injecter une dose.

Jennifer a été assommée. Elle est sérieusement commotionnée. Je préviens les secours puis me sauve... sans la clé USB.

25 mars

La rencontre entre Boris mon meilleur ami et Winter dans mon squat tourne au désastre. J'apprends que mon oncle Ralf a engagé un détective privé pour me retrouver et que Vulkan Sligo a localisé ma planque.

Un policier lancé à la poursuite d'une voleuse fait irruption dans le squat. Winter disparaît. Un autre agent surgit et ceinture Boris. Je le neutralise avec une seringue anesthésiante. Avant de m'enfuir, je m'empare de la bombe lacrymogène accrochée à son ceinturon.

Le même soir, je croise à nouveau mon sosie parfait.

30 mars

Dep et moi nous introduisons chez Oriana de Witt afin de lui dérober le dossier qui renferme l'Énigme Ormond ! Mais elle revient plus tôt que prévu avec ses acolytes.

Dep protège mes arrières tandis que je m'éclipse par la fenêtre.

31 mars

Muni de la précieuse Énigme Ormond, je me mets en route pour Mount Helicon. Clark Drysdale, le conducteur d'un pick-up, me prend en stop.

Bientôt, il s'aperçoit qu'un 4x4 nous suit. Sumo et Kevin, les hommes de main d'Oriana de Witt, m'ont repéré ! Ils collent leur véhicule contre notre pare-chocs pour nous envoyer dans le décor ! Clark accélère mais le monstre nous emboutit avec violence. Nous volons par-dessus le bas-côté et dégringolons dans une rivière.

Nous sommes vivants. Cependant, le corps de Clark est bloqué par la carrosserie. Je dois rester près de lui pour maintenir sa tête hors de l'eau, sinon il se noiera.

J'entends déjà les truands dévaler la pente à travers les broussailles. Mais pas question de laisser Clark mourir...

AVRIL

1er avril
J –275

Rivière Blackwattle
Australie

00:00

Des pas se rapprochaient, lents, prudents, précautionneux.

Je me suis aplati un peu plus contre le rocher derrière lequel j'étais caché. À une vingtaine de mètres, transperçant l'obscurité, le rayon lumineux d'une puissante lampe torche éclairait un à un les arbres et les buissons que je venais de traverser en courant. Mon poursuivant prenait son temps. De toute façon, ma trace n'était pas difficile à suivre : j'avais foncé comme un bulldozer dans les broussailles avec mon sac sur le dos.

Je n'avais cessé de courir depuis que le pick-up accidenté de Clark Drysdale s'était retrouvé dans la rivière quelques heures plus tôt. Je n'en pouvais plus. J'avais besoin de reprendre mon souffle et de dénicher un abri sûr. J'avais mal partout. Quand la ceinture de sécurité s'était bloquée au cours de l'accident, ma douleur à l'épaule s'était réveillée.

Je me suis enfoncé davantage dans la saillie rocheuse. Le rayon lumineux a aussitôt disparu de ma vue. En tâtonnant, j'ai senti une crevasse dans la pierre. Je me suis glissé dans l'ouverture. À moins de braquer la torche directement dans la fissure, personne ne pourrait me distinguer.

Tous mes sens en alerte, j'ai patienté. Je percevais seulement la pulsation de mon sang contre mes tympans. Puis j'ai entendu un bruissement de feuilles. Et un autre encore. L'homme progressait à pas furtifs entre les arbres. Des brindilles craquaient sous ses pieds lourds…

Retenant ma respiration, j'ai écouté. Le bruit des pas s'est intensifié.

00:03

La silhouette massive du lutteur de sumo que j'avais aspergé de gaz lacrymogène chez Oriana de Witt s'est détachée dans le clair de lune, presque en face de la crevasse où j'étais blotti.

Je me suis figé. Si Sumo me capturait, je ne donnais pas cher de ma peau. Lui et Kevin avaient déjà tenté de me tuer avec leur mons-trueux 4x4. À présent, il me traquait seul au cœur du bush[1] pour terminer son sale boulot.

Sans se déplacer d'un pouce, Sumo a promené le rayon de sa lampe sur les rochers, éclairant les broussailles humides, les branches cassées, la cavité dans laquelle je me dissimulais.

J'ai fermé les paupières. D'où il était, il ne pouvait plus me rater.

J'ai rouvert les yeux. La lumière remontait le long de la crevasse et se rapprochait de moi. D'une seconde à l'autre, Sumo allait m'apercevoir, recroquevillé contre la paroi.

Mais le rayon lumineux est passé au-dessus de ma tête sans m'atteindre... Au bord de l'as-phyxie, j'ai laissé l'air s'infiltrer dans mes pou-mons. Je l'avais échappé belle !

00:12

Sumo est enfin parti. Le bruit de ses pas fou-lant les broussailles s'est évanoui. Les jambes flageolantes, je n'osais pas relâcher ma vigilance au cas où il serait resté dans les parages.

Tout en l'imaginant rôder aux alentours, des images ont défilé dans mon esprit, rejouant le film de l'accident : la fuite effrénée à bord du pick-up de Clark tandis que Sumo et Kevin nous percutaient sans relâche avec leur 4x4 jusqu'à

1. Formation végétale des pays secs comme l'Australie, constituée de buissons serrés, de petits arbustes et d'arbres bas isolés.

nous faire quitter la route... Clark et moi pris au piège de la cabine du véhicule dévalant la pente et enchaînant les tonneaux avant de finir sa course dans le lit de la rivière... Le silence qui avait suivi l'accident, vite remplacé par les rumeurs de la nuit: cris d'oiseaux, meuglements de bovins au loin, bourdonnements d'insectes.

Le pick-up avait atterri sur le toit dans l'eau peu profonde d'une rivière à une cinquantaine de mètres en contrebas de la route. J'avais réussi à m'extirper de l'épave. En revanche, Clark gisait inconscient, bloqué sous son véhicule... Je m'étais accroupi près de lui afin de maintenir sa tête hors de l'eau et lui éviter la noyade. Il n'était pas question que je le laisse mourir. Résigné, les deux pieds enfoncés dans la boue, j'ai attendu l'arrivée des hommes de main d'Oriana de Witt.

Le bruit redouté n'a pas tardé à retentir: quelqu'un descendait vers nous en courant. L'espace d'une seconde, j'ai failli attraper mon sac à dos qui contenait l'Énigme Ormond et abandonner Clark, mais je n'avais pas le droit d'agir ainsi. Alors je me suis préparé à l'inévitable en me raisonnant:

– J'ai déjà échappé à ces gens... je leur échapperai de nouveau.

Lorsque les buissons surplombant la rivière se sont écartés, mon cœur a bondi dans ma poitrine. Toutefois, au lieu de voir Sumo ou Kevin se jeter sur moi, j'ai aperçu un policier qui se précipitait à mon secours!

– Tu vas bien? a-t-il lancé en évaluant du regard l'ampleur des dégâts. C'est le conducteur?

– Oui.

Je me suis efforcé de maîtriser le tremblement de ma voix: en tant que fugitif, croiser un policier n'est jamais rassurant...

– Il respire, ai-je ajouté. Mais il est inconscient et coincé sous la carrosserie. Impossible de le dégager. Moi, je m'en tire avec quelques égratignures, rien de grave.

Le policier s'est accroupi près de nous et a constaté en fronçant les sourcils:

– Ton ami a eu beaucoup de chance. Sans toi... enfin, inutile d'insister. Je poursuivais ce 4x4 complètement fou qui vous talonnait quand j'ai vu votre pick-up voler par-dessus le bas-côté... Tu es sûr que tu n'es pas blessé?

– Oui, ça va. Rien de cassé.

– Bien, laisse-moi te relayer.

Il a pris ma place afin de soutenir la tête de Clark.

– J'ai appelé les secours par radio et prévenu mes collègues. Une ambulance arrive ainsi que des renforts. Un médecin va prendre soin de ton ami et t'examiner par la même occasion. La patrouille a dû localiser le véhicule responsable de l'accident à l'heure qu'il est.

Enfin, je pouvais me mettre debout et décrisper mes doigts ankylosés. Pendant que l'agent me parlait, j'ai réfléchi à toute allure : il me fallait récupérer mes affaires et filer. Si je n'étais pas parti quand les autres policiers surviendraient, ils risqueraient de me reconnaître et de m'arrêter. À leurs yeux, je serais l'ado-psycho, le jeune qui avait agressé son oncle et plongé sa sœur dans le coma... pas le sauveur de Clark.

À cet instant, le bruit tonitruant d'une explosion a éclaté sur l'autoroute. Instinctivement, nous nous sommes baissés. Toujours sous le choc, nous avons relevé les yeux. Une énorme boule de feu a jailli dans le ciel, suivie d'un nuage de fumée en forme de champignon.

Le policier a lâché un juron et redressé la tête de Clark entre ses doigts tremblants.

– Je parie que c'est ce satané 4x4 ! a-t-il grommelé. Si ces abrutis ont percuté une de nos voitures de patrouille, ça va barder !

Une sirène retentissait déjà au loin. Il était temps de déguerpir.

Clark était tiré d'affaire. J'espérais seulement qu'il ne raconterait pas à la police que je me rendais à Mount Helicon. Sans bien savoir pourquoi, j'étais sûr qu'il tiendrait sa langue.

En me voyant récupérer mon sac à dos dans la cabine du pick-up, l'agent a commencé à s'affoler. Il m'a demandé ce que je fabriquais.

Sans un mot, j'ai enfilé les courroies et détalé à toute vitesse, laissant derrière moi le pick-up et les deux hommes, l'un évanoui, l'autre complètement décontenancé hurlant à pleins poumons pour que je revienne.

Pendant deux bonnes heures, j'ai couru le long de la rivière, trébuchant sur des racines et des branches, contournant des buissons touffus trop denses pour que je puisse les traverser. Le policier n'avait pas eu le choix : il avait été obligé de rester avec Clark pour l'empêcher de se noyer.

Au cours de ma fuite éperdue, j'ai songé que, de toute façon, j'étais condamné : j'aurais bientôt une meute de flics et de molosses sur les talons.

J'ai traversé la rivière à l'endroit où elle s'élargissait. C'était le meilleur moyen de semer les chiens : ils ne pourraient plus sentir mon odeur et perdraient ma trace. Ça signifiait aussi tremper mon jean et mes baskets.

Les chiens avaient peut-être abandonné la traque, mais pas Sumo. À cause de lui j'étais blotti dans une anfractuosité de rocher, à des kilomètres de l'endroit où s'était produit l'accident, d'abord persuadé que lui et Kevin avaient péri dans l'explosion... Il n'en était rien et il avait même failli découvrir ma cachette.

Je venais d'émerger prudemment à découvert, impatient d'examiner les alentours quand, de l'ombre, s'est élevé un craquement aigu suivi d'un couinement. D'un bond, je me suis renfoncé dans la crevasse. Caché, invisible, immobile, j'ai attendu. Sumo était-il de retour ?

Le couinement s'est répété, plus désespéré.

Lorsque j'ai perçu un battement d'ailes, j'ai poussé un soupir de soulagement. Ce n'était qu'un rapace qui avait attrapé une proie.

J'ai pensé à Clark, le malheureux conducteur du pick-up : comment se portait-il ? J'espérais qu'il se trouvait à l'hôpital. Les policiers avaient probablement établi l'identité de son passager fugitif... Les journalistes ne manqueraient pas de le harceler dès le matin dans l'espoir d'obtenir de plus amples informations. Chacun tenterait sa chance : un scoop sur l'ado-psycho en valait la peine. À mon avis, Clark ne prendrait plus jamais quiconque en stop !

Sacré Clark. Je lui devais une fière chandelle, ainsi qu'à Dep.

J'ignorais où était ce dernier et s'il avait réussi à s'échapper de chez Oriana de Witt après le vol de l'Énigme Ormond. Je souhaitais de tout mon cœur qu'il soit sain et sauf et qu'il ait rejoint sa chère collection d'objets hétéroclites, dans ce repaire improbable camouflé en pleine ville. J'aurais préféré être là-bas avec lui au lieu d'errer dans le bush. Mais je n'avais pas le choix, il me fallait affronter la réalité. Il était temps pour moi de partir.

00:48

Un quartier de lune brillait au-dessus de l'arête rocheuse. Le vent bruissait dans les feuilles des arbres environnants. Le ciel, d'un noir profond, était parsemé d'étoiles. Sumo était sans doute loin désormais. Il avait dû abandonner ses recherches. Mais son acolyte, Kevin ? Il avait peut-être été blessé dans la terrible explosion. Sinon, une fois réunis, retourneraient-ils à Richmond ou continueraient-ils à me traquer ?

Sortir de ma cachette me paraissait moins risqué à présent. Je me suis extirpé de la crevasse, j'ai enfilé les courroies de mon sac à dos et, attentif au moindre bruit, au moindre mouvement, j'ai repris ma route. Je n'avais aucune idée de l'endroit où j'étais et qu'une seule certitude : je ne devais à aucun instant relâcher ma vigilance.

Mes oreilles résonnaient du bourdonnement des insectes et des stridulations des criquets. Il me semblait aussi entendre un brouhaha lointain de circulation, les camions sur l'autoroute peut-être.

En dépit de ma situation périlleuse – j'étais perdu dans le bush, affamé, assoiffé, sans abri sûr – je n'ai pu m'empêcher de ressentir une certaine excitation. Dissimulée dans mon sac se trouvait, je l'espérais, la clé du mystère découvert par mon père. J'avais enfin réussi à m'emparer de l'Énigme Ormond et j'étais impatient de l'extraire de son dossier pour l'examiner avec toute l'attention qu'elle méritait.

01:19

Un peu plus tôt, la lumière pâle de la lune m'avait aidé à m'orienter. Désormais plongé dans le noir, je progressais très lentement. Je ne voulais pas utiliser ma lampe torche de peur de me faire repérer. J'ai donc poursuivi mon chemin à l'aveuglette. Mes baskets étaient encore trempées, mon jean aussi. Je ne cessais de me cogner contre des pierres et des branches. Deux ou trois fois, je suis même tombé.

J'ai ralenti l'allure et tenté d'appeler Boris, sans succès : mon portable ne captait aucun signal. Je me sentais à bout de forces. Il fallait que je m'arrête pour la nuit, que j'installe un campement de fortune dans un lieu suffisamment sûr. J'avais l'impression d'avoir couru vingt-quatre heures sans interruption.

Si seulement je pouvais trouver une grotte ! Je pourrais en camoufler l'entrée, me dissimuler à l'intérieur, puis piquer un somme.

J'étais environné de rochers. Il devait être possible de dénicher un abri, au pire sous une corniche.

À force de scruter l'obscurité, j'ai distingué une forme un peu plus loin. Surpris, je me suis tapi derrière un buisson épineux. Devant moi, au milieu d'une petite clairière, se dressait une maison minuscule, une sorte de cabane ou de remise. Quelle idée de construire un truc pareil au milieu de nulle part! Pas de lumière aux fenêtres. L'endroit paraissait désert. Aux aguets, je me suis approché avec la plus grande prudence.

Soudain, quelque chose m'a frôlé. Je me suis accroupi, les sens en alerte.

Tout était silencieux. Une fois sûr que la cabane était vide, je me suis faufilé plus près.

Parfois, dans les coins sauvages, des refuges sont aménagés pour les randonneurs. Je me suis demandé si c'en était un.

J'avais entendu dire qu'à l'intérieur il y avait en général du bois de chauffage, des allumettes, une réserve d'eau et des provisions de base. Ces bâtiments possédaient aussi des toilettes.

J'ai contourné la cahute.

J'ai repéré un bidon installé contre l'un des murs pour recueillir la pluie. J'en ai bu. Ensuite, je me suis dirigé vers l'entrée. J'ai tourné la poignée. La porte n'était pas verrouillée. Il m'a fallu pousser assez fort parce que le battant était un peu coincé, mais j'ai réussi à l'ouvrir.

À cet instant, quelque chose m'a sauté au visage. Paniqué, j'ai bondi en arrière! La chose s'est envolée. J'ai essayé de l'identifier, il faisait trop sombre. Sans doute un oiseau ou une chauve-souris. Tout à coup, un vent froid s'est levé et a courbé la cime des arbres dans un sifflement sinistre. Je suis entré dans l'abri.

J'ai pris ma lampe torche pour examiner l'intérieur de mon refuge. Il n'était pas beaucoup plus spacieux que ma chambre à la maison. Il contenait deux bancs de part et d'autre d'une table en bois au centre, des lits de camp empilés dans un coin, une cheminée, un coffre muni de poignées en corde, deux vieilles lampes suspendues à des crochets ainsi que plusieurs bidons dont l'un portait l'inscription « Pétrole ».

Sur le manteau de la cheminée recouvert de toiles d'araignée poussiéreuses étaient posées plusieurs boîtes.

J'ai refermé la porte derrière moi et lancé mon sac sur la table avant de m'affaler sur un banc. J'avais trouvé un toit. Je pouvais enfin cesser de courir, au moins quelques heures.

02:02

Après m'être relevé pour allumer une des lampes à pétrole, j'ai sorti ma réserve de chocolat. La veille, j'avais profité de mon arrêt à la station-service pour en acheter. Ensuite, j'ai extrait de mon sac le dossier dans lequel Oriana de Witt avait rangé l'Énigme Ormond.

Avec une extrême précaution, j'ai dégagé la feuille de sa pochette en plastique. C'était la première fois que j'avais l'occasion de l'examiner de près depuis que je l'avais volée. Le document paraissait très ancien – il avait sans doute plusieurs siècles. Sa matière étrange ne ressemblait pas vraiment à du papier. On aurait plutôt dit du cuir.

L'écriture elle aussi était curieuse : ornée de fioritures, elle était difficile à lire, et certains mots étaient orthographiés bizarrement.

Intrigué, je me suis assis près de la lampe et j'ai commencé à lire à voix haute :

L'Énigme Ormond

De huit fueillez ma bele Dame est couronnée
Tout au rond de son parfaict Visage vermeil
Treize larmez de Lune vers l'huis du Souleil
Prendre un tour a dextre sur Champ de Gueulez
Pour le doulx Peché de la Royne,
                                    un devra adjouster
Ainsi descouvers seront le Secret et le Don

Je n'avais pas oublié l'intérêt soudain de mon oncle pour l'Énigme, le jour où je l'avais mentionnée à la maison. Il m'avait demandé où j'en avais entendu parler, comme s'il était déjà au courant de son existence.

J'ai examiné les mots que j'avais sous les yeux. J'étais conscient de leur importance mais j'ignorais ce qu'ils signifiaient. Privés de leur sens, ils ne me seraient pas d'une grande utilité dans ma quête de la vérité sur la Singularité Ormond.

Ralf possédait peut-être une copie de ce texte. Peut-être en connaissait-il la signification. Peut-être mon père la lui avait-il révélée.

Peu importe, il n'était pas question que j'interroge mon oncle. Trop risqué. Je me suis appliqué à lire, relire et relire encore le texte sans rien comprendre. Il parlait de feuilles, du visage d'une dame, de larmes, du soleil…

Depuis l'instant où j'avais vu les mots « Énigme Ormond » griffonnés sur un papier chez Ralf, j'attendais avec impatience de la découvrir. Mais à présent, j'étais déçu et frustré.

J'ai essayé d'appeler Boris dans l'espoir que son cerveau génial puisse m'éclairer. Impossible: je ne captais toujours aucun signal.

Dégoûté, épuisé, je me suis appuyé au mur. Tous mes efforts pour m'emparer de ce parchemin n'avaient abouti qu'à ces huit lignes de charabia. « Génial, ai-je pensé. Voilà la fameuse Énigme Ormond que j'ai eu tant de mal à dénicher, celle dont deux bandes de gangsters

34

veulent s'emparer à tout prix! » Je leur souhaitais bien du plaisir. À Ralf aussi.

J'avais espéré que la lecture du texte m'aiderait à élucider la mystérieuse découverte de mon père et à décrypter ses dessins. Et je me retrouvais avec huit vers sans queue ni tête!

Huit?

Minute. Je les ai recomptés. Il n'y avait que six vers! Or je me souvenais parfaitement de la description de l'Énigme sur le site consulté à la bibliothèque:

L'Énigme Ormond se compose de huit vers. Elle est apparue au XVIe siècle.
On pense qu'elle a été rédigée en Angleterre à l'époque des Tudor.

Si cette description était exacte, qu'étaient devenus les deux derniers vers?

J'ai remarqué alors un infime détail qui m'avait échappé: la toute dernière ligne touchait presque le bas du parchemin alors que les trois autres côtés de la page comportaient de larges marges.

En l'étudiant de plus près, j'ai réalisé que la partie inférieure du texte avait été tronquée. Quelqu'un avait coupé les deux derniers vers pour empêcher la résolution de l'Énigme !

Décontenancé, je me suis intéressé aux autres documents du dossier. Il s'agissait de deux lettres. La première était adressée par Oriana de Witt à un cabinet d'avocats.

 Oriana de Witt
Services juridiques

COPIE

Le 26 février

Maîtres Hobson et Dodd,

On m'a recommandé votre cabinet comme étant le plus qualifié en matière de droits de succession et d'héritage. Un de nos clients aimerait connaître votre avis sur les documents joints.

En les lisant, vous comprendrez l'urgence absolue de cette affaire, surtout si l'on tient compte de la lenteur des procédures judiciaires. En effet, notre client doit faire valoir ses droits dans les plus brefs délais puisque la Singularité Ormond prend fin le 31 décembre de cette année.

deWitt
Oriana de Witt

Le 31 décembre! Cette date me crevait les yeux. Je ne voyais qu'elle. Puis je me suis rappelé le visage désespéré du fou qui s'était précipité vers moi en titubant la veille du jour de l'an, me flanquant une frousse de tous les diables. « La Singularité Ormond, avait-il croassé. Ne la laisse pas te condamner, mon garçon! Va-t'en! Fuis! Cache-toi et ne réapparais pas avant le 31 décembre de l'année prochaine à minuit. »

Comment était-il au courant? Qui était-il? Un visionnaire? Ses paroles résonnaient toujours dans ma tête: « Ils ont tué ton père! » Disait-il vrai? Et qui étaient ces *ils*?

Mon père était tombé malade en Irlande. On l'avait rapatrié en Australie où il avait été hospitalisé, mais il n'avait pas survécu. Un virus inconnu lui rongeait le cerveau et l'avait emporté très vite. C'était aussi cruel et aussi simple que cela. Je l'avais vu dépérir. Personne n'était coupable de sa mort.

Qu'était-il censé se passer à minuit le 31 décembre? Qu'impliquait la « fin » de la Singularité Ormond? Avait-elle un lien avec la succession de mon père? Était-ce pour cette raison que Ralf s'y intéressait? Et pour cela que les deux bandes de gangsters m'avaient interrogé? Toutes ces questions me donnaient le tournis.

J'ai lu la seconde lettre.

MAÎTRES HOBSON ET DODD
CABINET JURIDIQUE

Le 13 mars

Chère consœur,

En réponse à votre courrier du 26 février, il nous apparaît, en admettant que la Singularité Ormond soit homologuée et que son unique héritier et légataire universel entre effectivement en possession de l'héritage, que la position de cet héritier échapperait alors à toute attaque en justice et serait légalement incontestable. À moins, bien sûr, que ledit héritier ne décède prématurément avant l'annulation de ladite Singularité.

Que la Singularité Ormond soit toujours active ne fait aucun doute, sous réserve cependant de son annulation. En outre, il est certain que plusieurs autres codicilles anciens, ressemblant étroitement à la Singularité Ormond, ont été ratifiés plusieurs fois depuis leur création légale sous le règne d'Édouard Ier.
Nos enquêtes démontrent que seule la Singularité Ormond peut être considérée comme étant à la fois active et revendiquée par son héritier vivant à ce jour.

Toute récusation légale, si nous en tentions une, serait complexe et d'une durée indéterminée. Le succès éventuel de la démarche ne pourrait être de toute façon, selon nous, garanti avant le 31 décembre de cette année.

Aussi, en raison de l'incontestabilité de l'affaire et du ruineux investissement en temps probablement nécessaire à l'instruire, nous exprimons un avis hautement défavorable à l'encontre de votre requête.

Si vous étiez malgré tout déterminée à vous lancer dans une entreprise aussi hasardeuse, nous serions prêts à vous aider, sous réserve de votre accord préalable sur le montant de nos honoraires. Nous soumettons d'ailleurs à votre aimable attention une facture afférente aux recherches déjà effectuées.

Veuillez agréer, chère consœur, l'assurance de notre considération distinguée.

A. Dodd

Ambrose Dodd
Associé fondateur

Ainsi, Oriana de Witt avait demandé à des avocats, spécialistes du droit des successions et héritages, leur avis sur la Singularité Ormond. Même si je ne saisissais pas grand-chose à la lettre de maître Dodd et n'avais aucune idée de ce que pouvait être un « codicille », je comprenais l'importance du délai très court avant l'annulation de la Singularité Ormond. Mon père était-il l'héritier décédé « prématurément » ? J'étais perdu.

Quant à Édouard Ier, je savais juste qu'il avait vécu des siècles plus tôt. Décidément, le nom de ma famille était mêlé à des trucs extravagants : un ange, une énigme, un roi et une « singularité ».

Ce que je venais de lire me laissait sceptique. Tout cela me semblait irréel.

J'ai rangé les lettres dans le dossier et tenté de faire le point.

J'étais coincé au milieu de nulle part dans une cabane. La police et deux bandes ennemies me poursuivaient et je ne pouvais même pas téléphoner.

Pire, j'étais contraint de rester loin des miens, de ma petite sœur qui se trouvait à l'hôpital. Toute cette malchance découlait apparemment de cette série d'images étranges dessinées par mon père, d'une énigme incompréhensible portant mon nom de famille, et d'un objet volé dans une valise. Et, bien sûr, de la Singularité Ormond. J'avais sous les yeux la preuve qu'elle était réelle et très dangereuse. Elle poussait les gens aux pires extrémités, les rendait prêts à tout pour quoi: s'emparer des papiers? Mais elle prendrait fin le 31 décembre.

Mes pensées se bousculaient à l'intérieur de mon crâne.

Incapable de rester en place malgré mon épuisement, je me suis levé dans un état de tension extrême. Il fallait que je parvienne à interpréter ces documents. Après la lecture de ces lettres, l'avertissement lancé par le fou à propos des 365 jours ne me paraissait plus aussi délirant.

Il existait une date *limite*. J'ignorais comment il était au courant, qui il était et pourquoi il tenait tant à me prévenir.

Date limite. Et au-delà de cette limite?

Je vivais un véritable cauchemar depuis trois mois. La lecture de ces textes ne faisait qu'empirer la situation. Se pouvait-il que cette Singularité Ormond remonte à des centaines d'années et implique ma famille? J'ai fait quelques pas dans la cabane, je me suis arrêté devant le parchemin posé sur la table.

– Qu'essaies-tu de me dire? ai-je lancé tout haut sans le quitter des yeux comme s'il allait me répondre.

Après avoir vérifié que la porte était verrouillée, j'ai tiré à moi un des lits de camp. J'avais besoin de dormir. En le déplaçant, j'ai renversé une grosse boîte placée sur la cheminée poussiéreuse.

Un bruit venu de l'extérieur m'a alerté. J'ai baissé la mèche de la lampe à pétrole. Debout dans la pénombre, je me suis figé, aux aguets. Je n'entendais que le bruissement des arbres, les cris des oiseaux de nuit, les stridulations des criquets, le coassement rauque des grenouilles. J'étais à bout de nerfs. Néanmoins, je ne pouvais prendre aucun risque après avoir échappé, in extremis, à Sumo.

Un sentiment de malaise a commencé à m'envahir. Et s'il était là, dehors?

Je me suis emparé de la bombe lacrymogène avant d'ouvrir lentement la porte. J'ai jeté un coup d'œil à l'extérieur, dans les ténèbres, prêt à asperger tout intrus. J'ai attendu quelques instants. Enfin, convaincu que mon imagination m'avait joué un tour, j'ai refermé la porte à clé. J'étais curieux de savoir ce que contenaient les boîtes sur la cheminée. J'ai ramassé celle qui était tombée et remonté la mèche de la lampe afin d'y voir plus clair.

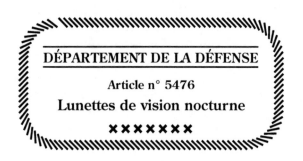

DÉPARTEMENT DE LA DÉFENSE

Article n° 5476
Lunettes de vision nocturne
✕ ✕ ✕ ✕ ✕ ✕ ✕

Génial! J'ai soulevé le couvercle du boîtier à l'aide d'une clé plate qui se trouvait par terre et découvert, à l'intérieur, plusieurs jumelles à l'apparence bizarre. « Elles pourront m'être utiles », ai-je pensé en saisissant une paire dont j'ai ajusté la courroie autour de ma tête.

Ces jumelles étaient lourdes, pas très maniables. Elles fonctionnaient et transformaient le monde obscur dans lequel j'évoluais en une palette de rouges plus ou moins intenses. J'ai tourné la tête à gauche, à droite. Oui, je voyais plus nettement, même si j'avais l'impression de scruter l'intérieur d'un tunnel.

J'ai attrapé mon sac à dos pour enrichir mon arsenal qui comprenait désormais des seringues anesthésiantes, une bombe lacrymogène dérobée à un policier, deux détonateurs de chemin de fer et ces lunettes de vision nocturne! Il faudrait que je mette tout cela à l'abri, loin des regards indiscrets. En les rangeant, je me suis senti comme un personnage de jeu vidéo qui accumule les accessoires. Sauf que, à la différence de ces héros en deux dimensions, j'étais bien réel, et je disposais d'une seule vie.

Dans les autres boîtes, j'ai trouvé des rations de viande, de légumes et de chocolat ainsi que du matériel de cuisine de camping et, au fond de la dernière, deux vieilles cartes topographiques.

J'ai étalé la première sur la table. Une vaste zone entourant la cabane et se prolongeant jusqu'à la rivière Blackwattle avait été hachurée au crayon. On avait aussi gribouillé quelque chose dans la marge.

J'ai rangé les cartes dans mon sac avant d'examiner la cabane. Il ne s'agissait donc pas d'un refuge pour randonneurs. Cet abri appartenait au Département de la Défense. Il était destiné aux soldats en bivouac pendant les manœuvres. À en juger par son état poussiéreux, il n'avait pas dû servir depuis longtemps.

J'étais tellement fatigué que mes yeux se fermaient. J'ai déplié le lit de camp et me suis effondré dessus.

Un repos de quelques heures me ferait un bien fou. Puis je partirais dès le lever du jour. Je trouverais un moyen pour me rendre à Mount Helicon chez mon grand-oncle Bartholomé. Je savais que, même si j'avais parcouru pas mal de chemin, je demeurais loin de sa propriété. Un homme âgé comme lui pourrait sans doute m'aider à comprendre le langage vieillot de l'Énigme Ormond.

Peut-être même détiendrait-il des indices sur la Singularité Ormond et la menace qui planait sur notre famille?

Les yeux grands ouverts, je me suis redressé. Il faisait encore nuit. Je n'avais dormi que deux ou trois heures.

La lampe à pétrole brûlait toujours, faiblement. Elle n'allait pas tarder à s'éteindre. J'ai dressé l'oreille.

Pour une fois, c'est le silence qui m'a effrayé. Lorsque je m'étais endormi, la nuit résonnait de toutes sortes de sons produits par des oiseaux, des insectes. À présent, je n'entendais plus rien. Il régnait un calme absolu, trop profond.

Quelque chose avait apeuré les criquets. Quelque chose avait fait taire les grenouilles. À l'extérieur, j'en étais sûr, rôdait un danger.

J'ai enfilé mes baskets en quatrième vitesse, vérifié que le dossier contenant l'Énigme et les dessins de mon père était bien rangé dans mon sac à dos et je me suis approché de la fenêtre. Collé au mur, j'ai scruté les alentours. Paniqué, j'ai reculé à l'intérieur de la cabane. Pas de doute, quelque chose avait bougé.

J'ai éteint la lampe à pétrole et gagné la porte à pas de loup en prenant, au passage, les jumelles infrarouges dans mon sac. Lentement, sans bruit, j'ai entrouvert le battant et risqué un œil dehors.

Je ne distinguais rien d'autre que le contour vague d'un arbre proche et, au-delà, les vastes ténèbres du bush baignées d'une lumière rouge... Le silence était de plus en plus lourd de menaces.

Là-bas, à une vingtaine de mètres seulement de mon abri, une silhouette se déplaçait furtivement d'arbre en arbre... Sumo!

Comment avait-il découvert ma cachette? Comment avait-il pu suivre ma trace dans le noir en plein bush à des kilomètres du lieu de l'accident? Était-ce un hasard?

Même s'il avait repéré la lueur de la lampe à pétrole, comment en avait-il déduit que c'était moi qui m'étais réfugié dans la cabane? N'importe qui aurait pu s'y trouver! Les idées se bousculaient dans ma tête mais je manquais de temps pour les ordonner.

Sumo n'aurait qu'à fracasser la fenêtre pour me tomber dessus. Je devais sortir de cet endroit coûte que coûte.

Ouvrant la porte à la volée, j'ai jailli dans la nuit. Grâce à mes jumelles infrarouges, je repérais, par terre, les branches et les troncs à éviter.

Quelques secondes plus tard, Sumo se ruait derrière moi en jurant. Dans ma fuite, les branches me fouettaient le visage, m'écorchaient les bras. Mais je continuais à courir car je devais à tout prix échapper à cette brute. Et je possédais un avantage sur lui: les lunettes de vision nocturne. Lui ne disposait que d'une simple lampe torche.

Un deuxième rayon lumineux a surgi à quelques mètres. J'ai stoppé net avant de me jeter derrière un énorme tronc d'arbre creux. Mon ventre s'est noué. Une deuxième silhouette approchait!

Les poumons brûlants, j'ai observé cette lumière oscillante. Je n'avais pas simplement affaire à Sumo: Kevin l'avait rejoint! Les deux hommes de main d'Oriana de Witt m'avaient pris en tenaille.

05:19

Soudain, les deux lampes se sont éteintes simultanément. Sans doute ne voulaient-ils pas révéler leurs positions. Ils ignoraient que je pouvais les voir quand même. J'ai observé leurs silhouettes rougeâtres se rapprocher prudemment l'une de l'autre. Sumo a regardé Kevin et hoché la tête de mon côté.

Avant que j'aie eu le temps de dire ouf, un projectile m'a frôlé l'épaule. Je me suis aplati à terre alors que des coups de feu retentissaient.

Je n'en revenais pas! Ils me tiraient dessus!

Une autre balle a sifflé à mon oreille, suivie, une ou deux secondes plus tard, par le claquement d'un coup de feu. Comment pouvaient-ils me voir? Tiraient-ils au hasard pour me débusquer?

Je suis resté recroquevillé par terre, prostré de terreur. Immobile, je devenais invisible. Mais si je ne bougeais pas, je n'aurais aucune chance de m'échapper. J'étais fait comme un rat.

Je me suis mis à ramper, m'efforçant de me déplacer sans bruit. J'ondulais tel un serpent en prenant bien garde de rester plaqué au sol, de peur d'être touché par une balle.

Les projectiles continuaient à voler autour de moi. Pour une raison incompréhensible, ils m'avaient toujours dans leur ligne de mire.

Eux, je ne les entendais plus. Seuls les coups de feu résonnaient à mes oreilles.

Devant moi, à côté d'un arbre gigantesque, un gros buisson informe poussait sur une saillie rocheuse. Je me suis faufilé sous ce toit improvisé et j'ai attendu, tandis que les balles sifflaient de plus belle.

05:28

J'étais blotti sous mon buisson depuis une bonne dizaine de minutes. Les tirs s'espaçaient. Peut-être que les deux acolytes se lassaient. Ou alors, je les avais semés. Je devinais à présent au loin le bruit confus de l'autoroute. Je m'en étais rapproché sans m'en rendre compte.

Malgré les muscles endoloris de mes jambes, j'ai décidé de me redresser et de fuir. Grâce aux lunettes infrarouges, je conservais un avantage sur mes poursuivants. Dès qu'il ferait jour, je le perdrais. Je devais jouer mon va-tout avant le lever du soleil.

J'ai voulu escalader la saillie rocheuse afin de rejoindre les hauteurs.

Mais alors que je commençais mon ascension, j'ai cru mourir de terreur : au-dessus de moi, me souriant de toutes ses dents, se dressait Sumo.

Il a tendu les bras, prêt à sauter. Je me suis laissé retomber en arrière et, d'un bond, dissimulé derrière un tronc d'arbre.

Au même moment, un coup de feu a déchiré l'air.

J'ai aperçu la silhouette massive de mon agresseur qui basculait en avant. Il s'est écrasé au sol, à quelques pas de moi. Quand son corps trapu a roulé sur le côté, j'ai vu une tache sombre s'élargir sur son dos.

Il avait été touché !

Comment était-ce possible ? Kevin lui avait-il tiré dessus par accident ?

J'allais déguerpir lorsque je me suis souvenu d'un détail auquel je n'avais pas prêté attention plus tôt : sur la carte trouvée dans la cabane, la note gribouillée dans la marge indiquait « zone d'exercices de tir à balles réelles ».

Peut-être Sumo, Kevin et moi étions-nous tombés en plein milieu d'un exercice militaire de tir nocturne ! Au cœur de la zone de manœuvres où des soldats s'entraînaient avec des munitions réelles et non à blanc.

Que faire ? Si j'essayais d'atteindre la route, je risquais d'être abattu comme Sumo ! Si je restais sur place, Kevin me capturerait d'une seconde à l'autre.

J'ai rampé vers l'énorme corps inerte. Au moment où je m'approchais de lui pour monter sur la saillie dont il venait de dégringoler, cette grosse brute a bougé un bras et gémi. Il était seulement blessé. Sans le quitter des yeux, j'ai escaladé la roche, m'efforçant d'ignorer la douleur qui me brûlait les jambes et l'épaule. Si, à l'aide des lunettes infrarouges, je réussissais à localiser l'origine des tirs, j'aurais une chance de les éviter en contournant les soldats et de rejoindre l'autoroute.

Protégé par un tronc d'arbre, j'ai scruté le paysage sur 360 degrés, examinant chaque bosquet et chaque buisson. Finalement, j'ai repéré un groupe de soldats allongés à plat ventre. Leurs armes étaient pointées dans ma direction.

Me voyaient-ils ? Ne distinguant pas leurs visages, j'ignorais s'ils disposaient ou non de lunettes de vision nocturne.

Les balles ont recommencé à siffler ! Je me suis aussitôt plaqué au sol. Sous l'impact des tirs, des éclats d'écorce arrachés aux arbres se plantaient dans mes mains nues.

Quand le silence est revenu, je me suis éloigné en rampant de nouveau à travers les broussailles d'épineux. J'ai décrit un large arc de cercle dans l'espoir de contourner les militaires.

J'étais inquiet: le moindre déplacement exigeait un temps infini. Or, il était probable que Kevin rôde encore dans les parages, tapi dans l'ombre.

06:12

J'y étais presque. À présent, à intervalles réguliers, j'apercevais une voiture filer sur la route, tous phares allumés, malgré l'aube qui éclaircissait le ciel, à l'est.

J'approchais du but. J'ai laissé glisser mon lourd sac à dos de mon épaule avant de sortir mon portable.

Enfin, il captait le réseau. Malheureusement, ma batterie était presque vide. Je devais la recharger pour contacter Boris. J'ai rangé mon téléphone, remonté le sac sur mes épaules. Puis je me suis mis en quête d'une station-service. J'espérais que Kevin était loin maintenant, qu'il ne me cherchait pas aux abords de l'autoroute. Et surtout qu'il ne se cachait pas derrière mon dos.

Une ambulance est passée à toute vitesse. Les militaires avaient dû découvrir Sumo, leur victime accidentelle. Je me sentais soulagé malgré les circonstances. Cela faisait une brute de moins à mes trousses. Enfin, pour le moment.

Quand j'ai rejoint le bas-côté de la route, le soleil était déjà haut dans le ciel. Il commençait à faire chaud. Je venais d'apercevoir au loin, à travers la végétation, la grande enseigne d'une station-service. Là je pourrais boire et, avec un peu de chance, calmer ma faim.

Station-service de Ridgetop

08:17

Avant de sortir à découvert, j'ai examiné les lieux avec circonspection. Je me demandais si les policiers avaient signalé ma présence dans les parages.

Je n'ai remarqué aucun des véhicules redoutés – ni Mercedes bleu foncé, ni Subaru noire, ni voiture de police. Je me suis rapproché.

À gauche des pompes à essence il y avait un restaurant, une sorte de véranda équipée de tables rondes et de chaises de jardin blanches.

L'endroit était presque désert. Seuls deux routiers étaient attablés devant des assiettes débordant de saucisses, d'œufs et de bacon. L'odeur appétissante m'a mis l'eau à la bouche. Une serveuse se tenait derrière le comptoir. « Pourvu qu'elle se montre compréhensive », ai-je pensé.

Avec ses cheveux bruns, brillants, coupés au carré et ses grands yeux, elle me rappelait ma tante Clara, la femme de Ralf, morte quelques années auparavant.

Avant de franchir la porte, j'ai jeté un coup d'œil à mon reflet dans une vitre, arrangé à la va-vite mes cheveux en bataille et brossé mes vêtements poussiéreux. J'avais deux ou trois égratignures au visage, mais rien de trop suspect. Du moment que personne ne m'identifiait comme le jeune délinquant le plus recherché de l'État, tout allait bien. Vu que je me reconnaissais à peine, je n'avais pas grand-chose à craindre.

08:31

Trop fatigué pour ruser, j'ai posé mon sac à dos sur une chaise et je me suis dirigé directement vers le comptoir où j'ai étalé toute la monnaie que je possédais.

– Excusez-moi, madame, pourrais-je utiliser une prise électrique en échange de ces quelques dollars ? J'ai besoin de recharger mon portable.

J'ai sorti mon téléphone pour le lui montrer. Elle m'a d'abord jeté un regard intrigué, puis elle a compté les pièces.

– C'est tout ce que vous avez ?

Il me restait de l'argent caché dans ma basket – celui que je devais à Dep pour m'avoir aidé à

dérober l'Énigme Ormond chez Oriana de Witt –
mais il n'était pas question que je le dépense.

J'ai acquiescé.

La femme m'a dévisagé à nouveau d'un air
perplexe. Elle se demandait certainement ce
que je faisais là, tout seul, au milieu de nulle
part.

– Où allez-vous comme ça ?

– Chez mon frère, pas loin d'ici, à une heure
de route environ, ai-je menti, en prenant soin
de ne mentionner ni Mount Helicon ni mon
grand-oncle.

Puis j'ai ajouté :

– J'espère trouver du boulot chez lui. Avant
d'arriver, je dois passer deux ou trois coups de
fil, ce serait super sympa si je pouvais recharger
ma batterie ici pendant une demi-heure...

– Il y a une cabine dehors, à côté du présen-
toir de glaces, vous savez, a-t-elle dit.

– Merci, mais j'attends plusieurs appels.
Alors j'ai vraiment besoin de mon portable, ai-je
expliqué.

Elle a reposé la monnaie sur le comptoir et l'a
poussée vers moi.

– Il y a une prise là-bas, près du radiateur.

J'ai hésité. Elle me laissait visiblement recharger mon téléphone gratuitement.

– Allez-y, a-t-elle insisté. Je vous prépare un
milk-shake pour patienter.

Je me sentais confus.

– Merci beaucoup.

Je fuyais et me cachais depuis si longtemps! J'avais oublié que des inconnus étaient spontanément capables de gentillesse.

08:51

Le milk-shake était divin. Durant quelques instants, j'ai oublié mes angoisses et ma faim. J'avais décidé de ne pas gaspiller la monnaie qui me restait. De toute façon, je n'aurais pas eu de quoi m'offrir le plat du jour. Cependant je pouvais peut-être acheter du pain, ou un sac de pommes de terre... si je trouvais un moyen de les faire cuire...

Le souvenir des frites de ma mère m'a soudain empli de nostalgie. Une profonde tristesse m'a envahi : ma famille me manquait terriblement, mon ancienne maison aussi. J'ai tenté de penser à autre chose.

09:01

Une fois mon portable et mon chargeur branchés, je me suis aperçu que Boris m'avait laissé une tonne de messages et de textos. Je les ai ignorés car je préférais lui parler de vive voix. Je brûlais d'impatience de lui raconter comment j'avais réussi à m'emparer de l'Énigme.

Tout en raclant du bout de ma paille la mousse du milk-shake sur les bords du verre, j'ai composé son numéro.

Je me sentais presque en sécurité dans cette salle ensoleillée et quasi déserte. Kevin était loin. Enfin, je l'imaginais.

Boris ne répondait pas. Je le rappellerais plus tard. J'ai déplié devant moi la seconde carte découverte dans l'abri du Département de la Défense et constaté que Ridgetop, le nom indiqué sur l'enseigne de la station-service, se situait quelque part entre la côte à l'est (mon point de départ) et le massif montagneux où vivait mon grand-oncle, à l'ouest.

Ma ville, Richmond, était aussi indiquée. J'ai repensé à ma mère. Et à Gaby. J'espérais que son état s'était amélioré. Elle était jeune. Elle se rétablirait sans doute très vite.

J'ai retiré l'Énigme de mon sac pour la relire à tête reposée. Avec un peu de chance, mon cerveau fonctionnerait mieux après ce délicieux milk-shake.

Malheureusement, le sucre n'avait pas amélioré mes capacités intellectuelles. J'ai lâché un juron entre mes dents : l'Énigme Ormond demeurait toujours hermétique. J'ai composé de nouveau le numéro de Boris. Si quelqu'un était capable de déchiffrer ce charabia, c'était lui.

– Boris ! me suis-je exclamé, soulagé qu'il réponde enfin.

– Eh, mec ! Où t'étais passé ? J'arrête pas de t'appeler ! Je t'ai laissé plein de messages. Tu vas bien ?

– Oui ne t'inquiète pas. Seulement, mon portable ne captait pas. Ensuite, c'est ma batterie qui a rendu l'âme. Mais écoute un peu! J'ai trouvé un indice essentiel chez Oriana de Witt. Dep m'a aidé à m'introduire chez elle pour fouiller son bureau. Devine sur quoi on est tombés! Tu ne me croiras jamais quand je te dirai ce que je tiens entre mes mains!

Il m'a semblé que Boris n'accordait aucune attention à ce que je lui racontais.

– Quelque chose de crucial est arrivé, Cal.

– Et comment! J'ai le document sous les yeux!

Je m'apprêtais à lui expliquer en quoi consistait l'Énigme quand je me suis rendu compte qu'il ne parlait pas de ça.

– Il faut que tu rentres.

Il a prononcé ces mots sur un ton si grave qu'une gangue de glace m'a paralysé de la tête aux pieds.

– Qu'est-ce qu'il y a?

Poussant un gros soupir, il m'a annoncé:

– Il est question de débrancher le respirateur artificiel de Gaby.

– *Quoi?*

Je ne pouvais pas le croire. C'était absolument impossible.

– Mais pourquoi? Pourquoi les médecins prendraient-ils une décision pareille? Ça ne fait même pas… trois mois!

– Je suis désolé, Cal. Si Gaby ne réagit pas au traitement dans les jours qui viennent, ils stopperont toute assistance respiratoire.

– Ils n'ont pas le droit ! Ma mère ne les y autorisera jamais !

Boris a de nouveau soupiré.

– C'est précisément pour ça que je voulais te joindre, a-t-il poursuivi sur un ton pressant et autoritaire. Tu dois les en empêcher ! J'ai laissé tous ces messages afin que tu reviennes dès que possible ! La situation a beaucoup évolué en vingt-quatre heures. Ils ont passé Gaby au scanner. Apparemment, son cerveau souffre de lésions irréversibles... Ça signifie qu'elle ne redeviendra jamais comme avant. Il est même possible qu'elle souffre. Son état est critique, mec. À moins d'un miracle... ou du refus de ses proches, ils la débrancheront. Ta mère refuse que sa petite fille souffre plus longtemps...

J'ai voulu répliquer mais aucun son n'est sorti de ma gorge.

– Quelles qu'en soient les conséquences, tu dois absolument rentrer si tu veux revoir ta sœur vivante. Si Gaby entend ta voix, elle réagira peut-être. Le miracle pourrait venir de toi. Il faut que tu ailles la retrouver à l'hôpital sans attendre, Cal ! Tu es la personne la plus proche d'elle après votre mère. Si son état s'améliore, il ne sera plus question de la débrancher ! Dépêche-toi, le temps presse !

La voix de Boris s'est étranglée. Au bord des larmes, il a ajouté :

– J'aimerais tellement avoir les moyens de t'aider, mais je crains que tu sois le seul qui puisses la sauver.

Pendant quelques secondes, le choc m'a tétanisé. Ma vue s'est brouillée. J'ai été pris de vertige. La salle du restaurant s'est mise à tanguer. Ma petite sœur allait mourir. Je ne la reverrais plus jamais.

J'ai senti mes dernières forces m'abandonner. Tout à coup, résoudre l'Énigme Ormond m'a semblé dérisoire...

– Quand ont-ils prévu de la débrancher ?

– Je ne sais pas exactement. Ta mère hésite encore.

– Je rentre à la maison.

Me souvenant que je n'en avais plus, je me suis repris :

– Je vais aller directement à l'hôpital. En stop ou à pied s'il le faut.

J'ai raccroché puis arraché mon chargeur de la prise. Mon cœur battait violemment dans ma poitrine. J'ai fourré mes affaires dans mon sac, que j'ai mis sur mon dos avant de jeter un coup d'œil dehors. Les voitures filaient à grande vitesse sur l'autoroute. Je suis sorti en courant sans un regard en arrière. Changement de programme. Tant pis pour Mount Helicon. Je devais retourner à Richmond et me rendre à l'hôpital.

De toute urgence.

Je me suis retrouvé sur le parking de la station-service, à côté de la cabine téléphonique dont m'avait parlé la serveuse. J'ai décidé de contacter ma mère. J'étais si loin d'elle et de Gaby. Je voulais tenter de la raisonner.

Mon cœur s'est serré en entendant sa voix. J'avais tant de choses à lui dire, tant de questions à lui poser, mais j'avais d'autres priorités.

– Maman, c'est moi. Je viens d'apprendre pour Gaby. Il paraît que les médecins vont la débrancher! Tu ne peux pas le permettre! C'est impossible!

– Cal! Mon chéri! C'est toi? Tu vas bien? Où es-tu? Pourquoi ne m'as-tu pas appelée avant? Je t'en supplie, rentre à la maison! Je suis folle d'inquiétude pour toi, pour Gaby...

– Tu ne peux pas accepter qu'on la débranche! ai-je répété. C'est de la folie! Il faut la laisser vivre!

– Tu n'es pas ici, Cal! Tu ne peux pas comprendre! Tu ignores le mal que ça représente de la voir ainsi, jour après jour, si faible, si décharnée. Selon les médecins, il se pourrait qu'elle souffre le martyre sans parvenir à l'exprimer. Cette situation ne peut pas durer...

Sa voix s'est brisée puis elle a ajouté:

– Il serait égoïste de ma part de vouloir la garder en vie coûte que coûte dans cet état... J'en ai longuement discuté avec Ralf. Il ne veut pas

60

trancher à ma place. Il m'assure que ma décision sera la bonne. Si elle souffre, Cal, je ne crois pas avoir le choix. Je ne supporte pas de l'imaginer en proie à la douleur et incapable de se plaindre.

Ma mère a éclaté en sanglots. Ses paroles m'ont plongé dans le désarroi. J'étais bien placé pour mesurer à quel point il était terrible de souffrir sans pouvoir se confier à quiconque.

– Pourquoi ne pas lui prescrire des calmants ?

– Ce n'est pas si simple, Cal. Ces médicaments pourraient faire empirer son état.

– Tu vas la tuer de toute façon, alors qu'est-ce que ça change ?

Ma mère a répondu d'un ton horrifié :

– Comment oses-tu me dire ça, à moi !? C'est par ta faute qu'elle est à l'hôpital ! En plus, tu n'as rien trouvé de mieux que de t'enfuir !

Ses paroles m'ont déchiré le cœur.

– Je suis désolée, s'est-elle excusée quelques secondes plus tard à travers ses larmes. Je suis si bouleversée, Cal. Je ne voulais pas te blesser. Je suis à bout. Je sais que tu n'es pas responsable de ton état psychologique, que la mort de ton père...

Je me suis efforcé de me maîtriser et d'ignorer ses accusations. Tenter de la convaincre n'était qu'une perte de temps.

– Je rentre, maman. J'arrive au plus vite. Il *faut* que je voie Gaby vivante. Je suis son grand frère. Tu me promets de ne pas commettre l'irréparable avant mon retour ?

Une voiture bleu foncé venait de s'arrêter devant une des pompes à essence. Ce n'était pas la Mercedes d'Oriana de Witt (je l'aurais identifiée au premier coup d'œil) mais une grosse cylindrée surbaissée équipée de pneus larges. Son conducteur n'était pas là dans le but de faire le plein, je l'ai tout de suite compris.

Il s'agissait en réalité d'une puissante voiture de police banalisée.

Le chauffeur me traquait-il ? En le voyant descendre, j'ai paniqué, cherché une issue. Derrière moi, une haute clôture me barrait le passage. Beaucoup trop haute pour que je la franchisse.

– Promets-moi de m'attendre ! ai-je crié à ma mère effondrée avant de raccrocher.

J'ai repéré une porte. Elle devait donner sur les toilettes.

Je me suis jeté dessus et l'ai ouverte brutalement. Elle a claqué derrière moi tandis que je me ruais à l'intérieur. Je me suis retrouvé en effet dans les toilettes, côté hommes.

Elles étaient vides.

Je me suis engouffré dans un cabinet muni d'une fenêtre en hauteur. En grimpant sur le réservoir de la chasse d'eau, j'avais une chance de l'atteindre, de me sauver par l'arrière du bâtiment et de regagner le bush.

J'allais entamer mon escalade quand quelqu'un est entré. Un homme au pas lourd. Le policier ?

Je me suis baissé pour regarder sous la porte. C'était bien lui.

J'apercevais ses grosses rangers réglementaires près des lavabos. J'ai entendu de l'eau couler. Peut-être était-il simplement venu se rafraîchir, se laver les mains.

Une voix a grésillé dans sa radio portable. Tous les policiers de la région étaient-ils déjà à mes trousses ?

Il a pris la communication et répondu :

– Bien reçu. J'attends ici. On coordonnera nos recherches quand les autres arriveront. Il faudra sans doute élargir le périmètre.

Je me suis figé sur place, pétrifié. Il fallait pourtant que je m'échappe ! Je devais à tout prix rejoindre la route et me rendre au chevet de ma petite sœur. Et voilà que je me retrouvais bloqué dans les toilettes d'une station-service au milieu de nulle part.

Le policier a mis une éternité à se laver les mains et à les sécher. Il a tout de même fini par sortir.

10:20

La fenêtre ne s'ouvrait pas. Une seule possibilité s'offrait à moi : casser la vitre. Toutefois, je ne voulais pas trahir ma présence. J'ai patienté. Un énorme semi-remorque s'est enfin approché d'une pompe dans un vacarme assourdissant.

63

J'ai utilisé ce bruit comme couverture. Le coude droit enveloppé dans mon sweat, j'ai frappé un coup sec sur le carreau qui s'est brisé net. Il me restait à ôter les bouts de verre acérés restés fixés au cadre en bois.

Ensuite, debout sur le réservoir de la chasse d'eau, j'ai balancé mon sac au-dehors avant de me hisser par l'ouverture.

La tête et les épaules à l'extérieur, j'ai constaté avec soulagement que je me situais bien à l'arrière de la station-service. Il n'y avait personne en vue. Plusieurs mètres me séparaient du sol: j'ai sauté et atterri en roulé-boulé.

À peine sur mes pieds, j'ai saisi mon sac, rasé au pas de course une rangée de poubelles et un empilement de gros bidons d'huile de moteur, puis je me suis enfoncé dans le bush.

Il me suffisait désormais de longer l'autoroute vers l'est en me dissimulant dans la végétation. Je craignais d'éventuels barrages routiers. Si j'étais pris en stop par une voiture, la police risquait de l'arrêter et de découvrir mon identité.

J'avais du mal à réfléchir. Une idée chassait une autre. La conversation avec ma mère m'avait complètement déboussolé.

Toutefois, la pensée de Gaby sur son lit d'hôpital me donnait le courage d'avancer.

11:51

Après avoir parcouru plusieurs kilomètres à travers les broussailles, assez près de la route, j'ai été rassuré : pas de barrages routiers en vue.

À la station-service, le policier avait parlé d'attendre ses collègues, d'élargir le périmètre des recherches. Cela leur prendrait du temps. Pour l'instant, la voie semblait libre.

J'ai repensé à Gaby. J'étais épuisé, j'avais le corps endolori et les idées embrouillées. Cependant je devais risquer le tout pour le tout.

Revenu sur l'autoroute, j'ai levé le pouce tout en marchant.

Le temps pressait. Faire du stop était dangereux vu la circulation intense et mon statut de fugitif, mais je n'avais pas le choix.

« J'arrive, Gaby, j'arrive », ne cessais-je de me répéter intérieurement. Cette litanie me stimulait pas à pas.

Quand une voiture a fini par s'arrêter à ma hauteur, j'étais tellement content et surpris que, sans vérifier, j'ai ouvert la portière du passager et failli m'asseoir. C'est alors que j'ai reconnu le conducteur !

J'ai sursauté et filé le plus vite possible sans demander mon reste. Sa portière a claqué : il me prenait en chasse à pied.

Mon sac, beaucoup trop lourd, me ralentissait. J'allais être obligé de l'abandonner d'autant que si mon poursuivant me rattrapait, je pouvais dire adieu aux dessins et à l'Énigme! Je n'avais pas le temps de sortir la bombe lacrymogène. Dans ma course, j'ai scruté les environs dans l'espoir de trouver une cachette où déposer mon fardeau.

L'homme gagnait du terrain. Il avait déjà hésité un instant de trop dans le bureau d'Oriana de Witt, m'offrant ainsi l'occasion de m'échapper par la fenêtre. Cette fois, il ne me raterait pas: Kevin à la larme tatouée ne mettrait plus longtemps à me capturer!

Une clôture surmontée d'une triple rangée de barbelés me barrait le chemin. La peur m'a donné des ailes. Je l'ai escaladée, en me protégeant les mains avec mon sweat. J'ai malgré tout accroché mon jean au moment où je retombais de l'autre côté et il s'est déchiré.

Devant moi, un arbre gigantesque étendait ses branches au feuillage touffu. Dans le tronc, à hauteur de mon épaule, s'ouvrait un trou. Sans hésiter, j'y ai enfoncé mon sac à dos. Derrière moi, Kevin pestait. J'ai jeté un coup d'œil vers lui. Trop occupé à se dégager des barbelés, il n'avait rien vu. Il s'épuisait en efforts désespérés, ne réussissant qu'à s'empêtrer davantage. Pour une fois, la chance me souriait, elle m'offrait une longueur d'avance. J'ai extirpé mon sac du creux de l'arbre et repris ma course.

J'ai traversé un enclos. Sans ralentir, je me suis tourné. La frêle silhouette de Kevin, toujours prise au piège des barbelés, s'agitait en haut de la clôture.

Au loin est apparu un pavillon niché sous des arbres en fleurs. Je me suis précipité dans sa direction en espérant que les habitants du coin n'avaient jamais entendu parler de l'ado-psycho que tout l'État recherchait.

Tel un signal, de la fumée noire s'élevait de la cheminée.

12:32

Je me suis approché discrètement. Une voiture était garée devant la porte. J'observais les lieux quand deux vieilles dames sont sorties de ce pavillon. L'une d'elles portait un sac de voyage et a dit à l'autre :

– J'ai été ravie de ma petite visite, Agatha, mais je dois rentrer à cause de Timmy. Il faut bien compter deux heures de route jusqu'au quartier du Vallon Fleuri.

La dénommée Agatha attendait à côté de la portière.

Son amie a ouvert le coffre pour y ranger son bagage puis a déclaré, perplexe :

– J'ai l'impression d'avoir oublié quelque chose.

Le quartier du Vallon Fleuri n'était qu'à deux heures de chez moi, à Richmond. Mais je devais me montrer réaliste : pouvais-je imaginer une seconde qu'une vieille dame accepterait de prendre un vagabond comme moi en stop ? Ma simple vue suffirait probablement à provoquer chez elle une crise cardiaque !

– Bonté divine, je sais ! s'est-elle exclamée en secouant la tête. Ma trousse de toilette. Je l'ai oubliée à la salle de bains.

Les deux dames âgées sont retournées dans la maison. C'était le moment ou jamais de saisir ma chance. J'ai foncé vers le coffre. Il ne contenait rien d'autre qu'un grand plaid en tissu écossais rouge et le sac de voyage. Il restait un espace suffisant pour moi. Je me suis glissé à l'intérieur, puis roulé en boule sous le plaid.

« Pourvu qu'elle se contente de rabattre le capot sans regarder », ai-je pensé. J'espérais aussi que le Timmy en question n'était pas un homme qui me casserait volontiers la figure s'il découvrait que je m'étais caché dans la voiture de sa vieille maman.

Les voix se rapprochaient. Quelques secondes plus tard, le coffre s'est refermé sur moi, me plongeant dans l'obscurité. Jamais je n'aurais imaginé me laisser un jour emprisonner de mon plein gré dans une voiture, sans y avoir été d'abord jeté par des brutes, comme lorsque les hommes de main d'Oriana de Witt m'avaient enlevé à Memorial Park.

Le moteur a rugi. J'ai entendu la voix d'Agatha lancer:

– Bon voyage, ma chère Melba!

La voiture s'est éloignée lentement sur l'allée de gravier puis a bifurqué.

Peu de temps après, j'ai reconnu le bruit caractéristique de l'autoroute. Melba a marqué un bref arrêt avant de se mêler au flot de la circulation.

12:51

J'étais dans une position très inconfortable dans ce coffre, mais fort soulagé de me rapprocher de Richmond et de l'hôpital où se trouvait Gaby.

Même si nous croisions un barrage routier, j'imaginais mal la police soupçonner la vieille Melba d'apporter son aide et sa protection au fugitif le plus recherché de l'État. Du moins, je tentais de m'en persuader.

Nous roulions tranquillement. Je me suis efforcé de dormir un peu.

Impossible. L'image de Gaby me hantait totalement.

Je la revoyais telle que je l'avais découverte en janvier, pâle, inconsciente, étendue sur le sol de mon ancienne maison.

15:40

La voiture s'est arrêtée, une portière a claqué. Quelque part, tout près, un chien s'est mis à aboyer.

– Allons, allons, Timmy, a dit Melba.

Sa voix s'est rapprochée du coffre.

– Maman est revenue. Laisse-moi prendre mes affaires, on fera la fête après.

Timmy était un chien !

J'ai entendu le cliquetis de la serrure du coffre. Une lumière douce a traversé la laine rouge du plaid qui me recouvrait. J'ai senti un courant d'air frais, puis un frôlement quand Melba a soulevé son sac de voyage.

– Tu peux sortir, maintenant, a-t-elle dit.

Stupéfait, je n'ai pas bougé. Elle me parlait ? À moi ?

– Tu peux sortir, mon garçon, a-t-elle répété.

Depuis le début, la vieille dame savait que je m'étais dissimulé dans sa voiture !

Penaud, j'ai écarté la couverture.

– Je suis désolé. J'avais vraiment besoin d'effectuer ce trajet… J'espère que je ne vous ai pas fait peur.

Je me suis extirpé du coffre en traînant mon sac à dos. À l'intérieur de la maison, le chien courait et sautait comme un beau diable.

– Un passager clandestin, hein ? Je dois avouer que c'est la première fois que ça m'arrive mais, ne t'inquiète pas, pour m'effrayer il faut plus que la présence d'un jeune garçon caché dans le coffre de ma voiture. En particulier un maigrichon dépenaillé dans ton genre. Tu m'as l'air d'avoir besoin d'un bon repas chaud... et d'un bain.

Un repas chaud ? Je n'en croyais pas mes oreilles.

Elle a désigné son sac, comme pour me demander de le porter à sa place. Je me suis empressé de le prendre puis je l'ai suivie tandis qu'elle remontait l'allée de son jardin et gravissait les marches de la véranda ombragée.

– Du calme, Timmy. Nous avons un invité ce soir, a-t-elle annoncé au chien qui sautait et grattait à la porte d'entrée en gémissant.

– C'est gentil, l'ai-je remerciée (je rêvais d'un vrai dîner et d'un endroit où me reposer), mais il me faut aller en ville de toute urgence. Je me suis caché dans le coffre de votre voiture parce que je dois me rendre à l'hôpital. Un membre de ma famille est gravement malade.

– Rentre un instant. Au moins pour manger un morceau.

À la seconde où la porte s'est ouverte, un petit chien blanc avec un collier en strass autour du cou a bondi sur moi en jappant et en grognant.

– Ne fais pas attention à Timmy. Il est ravi d'avoir de la visite.

Elle s'est effacée pour me laisser passer.

– Au fait, je m'appelle Melba Snipe.

Le petit chien fou s'agitait autour de moi, en mordillant mon jean.

– Enchanté. Moi, c'est Tom.

Je lui ai tendu la main en prenant garde d'éviter les crocs du toutou surexcité – apparemment, il mourait d'envie de m'arracher un bout de mollet...

Je n'en revenais toujours pas de la réaction de cette vieille dame quand j'ai serré ses doigts si minces, si fragiles, à la peau aussi fine que du papier de soie.

Nous sommes entrés dans son salon. Le chien blanc continuait à sauter dans tous les sens. Mrs Snipe a déverrouillé une baie coulissante donnant sur un jardin, poussé le chien dehors, versé des croquettes dans un bol placé sur la terrasse, puis refermé la vitre.

J'ai déposé son bagage et mon sac à dos par terre avant d'inspecter la pièce. Une épaisse moquette, d'un vert insolite, couvrait le sol. Les murs, verts eux aussi, étaient ornés de frises de papier peint fleuri. Partout où mes yeux se posaient, ils rencontraient des fleurs : en plastique, en soie, en tissu. Dans des vases, des pots, des plats, des assiettes. Même les rebords des fenêtres disparaissaient sous des fleurs. Des vraies.

Dans la cuisine, le décor était différent. Une multitude de photos en noir et blanc encadrées, serrées les unes contre les autres, tapissaient les murs. Sur la plupart, on voyait deux hommes. L'un portait un uniforme. L'autre aurait pu être son frère ou son fils.

Je suis revenu à la réalité.

– Je dois m'en aller. C'est une question de vie ou de mort.

D'une cocotte qui mijotait sur la cuisinière s'élevait un parfum savoureux. Je me suis souvenu alors à quel point je mourais de faim.

– Avant de partir chez Agatha, hier matin, j'ai fait mijoter un petit plat dans mon autocuiseur, m'a expliqué Melba avant de soulever le couvercle. Ça devrait être prêt maintenant. Je te conseille de rester ici le temps de te restaurer. Tu as mauvaise mine.

Elle a remué avec une cuillère le contenu de la cocotte. Je n'avais jamais rien senti d'aussi bon de toute ma vie, cependant les précieuses minutes qui s'écoulaient me rendaient nerveux.

Melba s'est tournée vers moi :

– Tiens, prends une chaise.

Malgré l'inquiétude qui me rongeait, je me suis assis. Cette vieille dame avait raison, j'avais besoin de reprendre des forces. Elle a rempli d'eau une bouilloire au robinet de l'évier puis l'a transportée avec précaution jusqu'à la cuisinière.

Elle n'a pas tardé à siffler.

– Un peu de thé? m'a proposé Melba en plongeant deux sachets dans la théière.

– Oui, merci.

Elle s'est penchée vers un placard d'où elle a sorti deux tasses et deux soucoupes dépareillées, un pot à lait et un sucrier – décorés de fleurs, comme tout le reste de la maison.

– Passe-moi ces assiettes creuses blanches, là-bas, tu veux bien, mon grand?

En suivant son regard, je les ai aperçues. Je me suis levé pour aller les chercher. Lorsque je suis revenu à table, ma tasse était remplie à ras bord de thé fumant. Armée d'une louche, Melba nous a alors généreusement servis.

C'était absolument délicieux. J'ai englouti le contenu de mon assiette. Melba m'a aussitôt proposé de me resservir et j'ai accepté. Elle semblait heureuse d'avoir de la compagnie.

– Votre ragoût est exceptionnel, Mrs Snipe, ai-je déclaré après avoir pratiquement léché le fond de mon assiette. Une chance que vous en ayez préparé autant!

– Je cuisine toujours pour deux au moins, s'est-elle empressée de répondre.

– Ah bon? ai-je lancé, inquiet.

– Oui. N'aie pas peur, je ne suis pas folle malgré mon âge avancé, a-t-elle gloussé. Je suis toute seule ici... mais les vieilles habitudes ont la peau dure.

Tout à coup, le chien s'est mis à aboyer bruyamment dehors, comme s'il voulait l'interrompre.

– Oui, Timmy, je sais que tu es là, a-t-elle ajouté en élevant la voix en direction du jardin. Comment pourrais-je t'oublier ?

– Je vous remercie de m'avoir invité à partager votre repas.

– Moi aussi, mon grand, je te remercie. Pour la compagnie.

La vieille dame a poursuivi avec une certaine tristesse :

– Mr Snipe nous a quittés depuis fort longtemps, pourtant il ne se passe pas un jour sans que je pense à lui. Nous nous sommes connus à l'âge de seize ans, tu imagines ?

Impressionnant ! J'avais quinze ans, presque seize. Il m'était difficile de concevoir que cette vieille dame fragile ait eu mon âge. J'ai désigné les nombreuses photos de l'homme en uniforme soigneusement disposées sur le mur près du réfrigérateur :

– C'est lui ?

Elle a hoché la tête dans un sourire.

– Oui. Et le charmant garçon debout à ses côtés, c'est mon fils. Je remets un peu d'eau à chauffer ?

75

Alors que nous buvions une autre tasse de thé, Melba m'a posé des questions sur la personne de ma famille qui était malade.

J'ai fini par lui raconter presque toute la vérité. En omettant toutefois les détails compromettants : j'ai préféré taire mon vrai nom, mon statut de fugitif et les raisons qui m'avaient poussé à fuir.

Lorsqu'elle m'a demandé comment ma petite sœur s'était retrouvée en service de réanimation, j'ai inventé un mensonge à propos d'une mauvaise chute survenue au cours d'une randonnée. Je lui ai aussi dit que j'avais travaillé sur la côte comme coursier.

Une fois nos tasses vides, Melba a annoncé :

– Je suis épuisée. Il est tôt, mais je crois que je vais aller me coucher.

Il m'a suffi de le lui entendre dire pour me mettre à bâiller.

– Si tu veux te laver et passer la nuit ici, tu es le bienvenu, a-t-elle ajouté en se levant lentement de sa chaise. Ce n'est pas l'heure idéale pour circuler. Et mon canapé est plutôt confortable. Il y a des couvertures et des serviettes dans le placard à côté de la salle de bains. Je te suggère de prendre une douche bien chaude puis de te reposer. Demain matin, tu partiras dès l'aube si tu le souhaites.

Je ne pouvais chasser Gaby de mes pensées. Pourtant, Melba avait raison. De jour, je trouverais plus facilement un moyen d'atteindre la ville. Je me sentais à bout de forces. Je n'avais dormi que quelques heures depuis l'avant-veille et j'ignorais quand une opportunité semblable se représenterait.

– Je ne voudrais pas te vexer, a-t-elle poursuivi d'un ton hésitant, mais tes vêtements sont dans un état pitoyable. Puis-je t'offrir un jean et un tee-shirt propres ? Tu as à peu près la taille de mon fils, enfin quand il avait ton âge. J'ai conservé un plein carton d'affaires lui appartenant. Je pensais en faire don un jour à une bonne cause. J'imagine que tu en es une à toi tout seul.

– Ce serait formidable.

Elle ne me vexait pas. Au contraire, je lui étais très reconnaissant de ce cadeau.

Elle m'a montré les habits de son fils et la salle de bains avant de me souhaiter une bonne nuit et de disparaître dans sa chambre, au bout du couloir.

2 avril
J –274

08:06

– Regardez-moi ça ! Voilà qui est nettement mieux, tu ne crois pas ? s'est exclamée Melba lorsque je suis entré dans la cuisine avec mes vêtements propres.

Après m'avoir détaillé de pied en cap, un grand sourire chaleureux a illuminé son visage puis elle a secoué la tête comme pour chasser une pensée importune.

– Tu veux des toasts ?

– Oh oui, merci !

J'avais dormi comme une souche sur son canapé, aussi confortable qu'elle l'avait promis.

Je m'étais réveillé frais et dispos, prêt à entreprendre l'impossible pour me rapprocher de Gaby.

– Quand tu seras à Richmond, pourras-tu me rendre un petit service ? a demandé Melba.

– Avec plaisir, ai-je répondu en étalant une énorme cuillerée de beurre de cacahuète sur mon pain grillé délicieusement croustillant. Que puis-je faire pour vous ?

Elle a disparu de la cuisine, puis est revenue avec un livre enveloppé dans un sac en papier.

– Mon amie Elvire l'a oublié la dernière fois qu'elle m'a rendu visite. Tu veux bien le déposer dans sa boîte aux lettres ? Son adresse est inscrite ici. Je t'en serai très reconnaissante.

Elvire
39 Chester Road
Greenaway Park

– Je n'y manquerai pas, ai-je promis en rangeant le paquet dans mon sac déjà bien rempli.

– Merci, Tom. Je sens que je peux compter sur toi.

Soudain, elle a froncé les sourcils.

– C'est drôle, ton visage me semble familier.

– Il est possible que vous m'ayez déjà croisé, ai-je suggéré. J'ai travaillé dans les environs.

– Peut-être est-ce tout simplement parce que tu me rappelles mon fils... Surtout dans ses vêtements!

– Jamais je n'oublierai votre gentillesse, Mrs Snipe. Vous auriez pu me jeter dehors après m'avoir découvert dans le coffre de votre voiture. À votre place, n'importe qui aurait mal réagi!

Melba a éclaté de rire.

– Pour être honnête, j'avais une certitude : tant que tu étais enfermé dans mon coffre, tu ne pouvais pas me faire de mal! Après, quand tu en es sorti, tu avais l'air si misérable, si affamé, que je n'ai pas eu le cœur de te chasser.

Elle a ajouté en agitant son index dans ma direction :

– Cependant, tu ne devrais pas abuser de ce mode de transport. Toutes les vieilles dames ne sont pas aussi intrépides que moi, ni aussi confiantes!

– Ne vous inquiétez pas, je ne recommencerai pas. Encore merci pour tout.

Je suis allé déposer nos assiettes dans l'évier.

– Dès que j'aurai vu ma petite sœur à l'hôpital, je porterai ce livre à votre amie.

Une main sur mon épaule, Melba m'a demandé d'une voix douce :

– Tu reviendras me voir?

– Bien sûr.

J'ai pris mes affaires et je me suis dirigé vers la porte.

– Dites au revoir à Timmy pour moi.

Le chien blanc a dû entendre son nom car il s'est mis à japper comme un fou et à contourner la maison en quatrième vitesse, probablement dans l'espoir de me mordiller les mollets. Mais je l'ai devancé. Quand il m'a rejoint, j'avais déjà franchi d'un bond le portillon du jardin.

Près de l'autoroute

10:21

En chemin, j'ai fait preuve d'une prudence absolue, scrutant sans cesse les environs. Quand j'ai regagné l'autoroute, je me suis félicité de cette vigilance : des policiers arrêtaient les voitures en direction de la ville, contrôlaient soigneusement l'habitacle et le coffre de chaque véhicule. Si, la veille, nous n'avions pas emprunté la sortie menant au quartier du Vallon Fleuri, on m'aurait découvert dans le coffre de Melba et j'aurais sûrement passé la nuit au poste.

Grâce à la gentillesse de cette vieille dame, à son excellente cuisine et à son canapé confortable, j'avais retrouvé mon optimisme. Ce nouvel obstacle ne m'a donc pas perturbé.

Même s'il me ralentissait, j'étais libre. Rien ne m'empêcherait d'atteindre l'hôpital. Pour moi, c'était la seule chose qui comptait.

Je me suis éloigné de l'autoroute et l'ai longée à distance, à travers la campagne. Invisible pour la police, j'ai repris la direction de la ville au pas de course. Une autre vie que la mienne était en jeu : celle de Gaby.

17:15

Depuis le matin, j'avais fait pas mal de chemin. Alors que je m'introduisais dans une propriété pour boire de l'eau à un robinet, un lourd *flap flap flap* s'est mis à résonner dans le ciel, m'obligeant à battre en retraite. Un hélicoptère décrivait des cercles au-dessus de la zone où je me trouvais.

Comme la végétation était clairsemée, il devenait de plus en plus difficile pour moi de progresser sans être repéré. Je me suis donc caché sous un buisson en attendant le coucher du soleil.

18:22

📱 Boris, keskispass ? Koi 2 9 ?

📱 Ri1. Ta juska f1 2 semN. Ou T ? T OK ?

📱 Cool. Jrevi1 vit. V kanP dan bush 7 nui !

Grâce à mes lunettes infrarouges, j'ai pu parcourir quelques kilomètres supplémentaires dans le noir. Le quartier du Vallon Fleuri et la petite maison de Melba Snipe étaient loin maintenant. Je comblais peu à peu la distance qui me séparait de Gaby.

Il lui restait moins d'une semaine à vivre, sauf si j'arrivais à temps pour éviter le pire. Je me fichais pas mal qu'on m'arrête à l'hôpital du moment que Gaby avait une chance de s'en sortir. J'en avais marre de l'Énigme, de l'ange et de la Singularité Ormond. Marre d'Oriana de Witt, de Vulkan Sligo... et de Winter. Marre de ce que ma mère pensait de moi. Marre de tout. Mon père n'aurait souhaité qu'une chose en cet instant : que je fasse le maximum pour sauver la vie de ma petite sœur.

Après avoir déniché l'endroit idéal pour camper (un sol meuble à l'abri d'un grand arbre) et avoir étalé mon duvet, j'ai extrait de mon sac tous mes vêtements et je les ai étalés sur moi. Ils me tiendraient chaud pendant mon sommeil. Dix secondes plus tard, lové à l'intérieur de mon duvet, je dormais, un bras serré autour de mon sac à dos.

Un petit bruit m'a réveillé. Inquiet, je me suis redressé. J'ai enfilé mes lunettes infrarouges pour sonder les ténèbres et scruter les alentours, guettant le moindre mouvement.

Rien. Personne.

« Tu es trop nerveux », me suis-je sermonné.

Je n'ai pas tardé à me rendormir, mais d'un sommeil agité. Je sombrais dans des rêves d'où j'émergeais aussitôt. Des fragments de mon cauchemar récurrent surgissaient à la surface de ma conscience. Ils baignaient dans une atmosphère si glaciale que j'ai fini par me réveiller tout à fait. L'air froid de la nuit n'arrangeait rien. Je ne pouvais chasser l'impression épouvantable que me laissait toujours l'image du chien blanc en peluche.

Emmitouflé dans mon sweat, je me suis assis, tenant au creux de ma main le petit ange gardien doré offert par Dep. Avec mon pouce, j'ai caressé les contours délicats de sa robe et de ses ailes. J'avais plus que jamais besoin de la protection d'un ange gardien. Mais surtout pas de celle de l'ange Ormond. Lui ne me causait que des ennuis.

3 avril
J –273

J'ai émergé du sommeil en sursaut. Je n'étais pas seul, j'en étais sûr.

L'espace d'une seconde, je suis resté hébété, désorienté. Je me suis frotté les yeux. Puis j'ai aperçu une silhouette courbée s'éloigner avec mon sac. Un voleur !

– Eh ! Qu'est-ce que vous fabriquez ? Rendez-moi ça ! ai-je hurlé en m'extirpant du duvet.

La veille au soir, je m'étais convaincu que plus rien ne comptait en dehors de Gaby. Néanmoins, j'avais besoin de mes affaires pour arriver jusqu'à elle ! Le choc et le stress m'avaient à présent tout à fait réveillé. Immédiatement, j'ai pensé à Sumo et Kevin mais ce type me fuyait et ce n'était pas leur style.

Bien décidé à récupérer mon sac, je me suis précipité sur le voleur qui a titubé. J'en ai profité pour le plaquer au sol en lui écrasant le torse avec mes genoux. J'ai senti ma peur se muer en colère, puis en rage. Je ne supportais plus d'être sans cesse maltraité, menacé, suivi, enfermé, pourchassé, terrorisé. Et voilà qu'un nouveau venu me dérobait le sac contenant tout ce que je possédais !

Furieux, je me suis mis à le bourrer de coups tandis qu'il se tortillait par terre en gémissant :

– Non ! Je vous en prie ! Arrêtez !

Je me suis figé. La voix ne semblait pas appartenir à un adulte.

– Ne me frappez pas ! Je suis désolé ! Je ne voulais pas le voler, je vous assure. Je voulais juste… l'emprunter !

– Menteur ! ai-je crié.

Je lui maintenais toujours les épaules plaquées au sol. Je n'avais aucun mal à le dominer. Je ne m'étais pas aperçu à quel point je m'étais endurci au cours de ces dernières semaines passées à fuir, à me cacher, constamment sur le qui-vive. Mon voleur a fini par se tenir tranquille, respirant avec peine. Malgré tout, je n'avais pas confiance. J'ai continué à l'immobiliser.

– S'il vous plaît, laissez-moi partir.

De la main droite, je l'ai saisi par les poignets tandis que je fouillais mon sac à la recherche de ma lampe torche. Je l'ai braquée sur lui.

Le rayon lumineux a éclairé un visage pâle, effrayé, constellé de taches de rousseur – celui d'un ado. Ses cheveux imprégnés de gel étaient coiffés en pointes. Il avait des yeux couleur ambre. Sans dévier la lumière qui l'obligeait à cligner des paupières, j'ai lancé :

– Qui es-tu ? Qu'est-ce que tu me veux ?

– Je m'appelle Griff... Griffith Kirby, a-t-il bafouillé. Je ne veux rien. Juré. Je n'allais pas te faire de mal. J'ai juste vu ce sac à dos, par terre... et...

– Et moi à côté. Tu voulais le piquer, hein ?

Griff a grimacé.

– Ben...

– Voleur ! Donne-moi une seule bonne raison de te relâcher !

– Si tu me laisses me relever, je t'en donnerai des tonnes. Un gars comme moi...

– ... est tout à fait inoffensif, bien sûr, ai-je ironisé. Sauf quand il s'agit de voler les affaires des autres !

J'en avais assez de ce petit jeu. Je l'ai libéré et j'ai reculé de quelques pas.

– Allez, lève-toi et fiche le camp !

La faible lueur de la lampe torche projetait sur la végétation des ombres menaçantes. Griff Kirby s'est redressé lentement. Il a brossé d'une main son jean couvert de terre et dit avec une certaine admiration dans la voix :

– Tu cognes drôlement fort, tu sais.

Puis il s'est détourné. Cependant, au lieu de détaler comme je l'imaginais, il s'est dirigé vers une besace posée au pied d'un rocher. Il en a sorti un paquet de chips. Aussitôt, j'ai eu l'eau à la bouche.

– Tu as faim? a-t-il demandé.

Ne sachant pas très bien quelles étaient ses intentions, je n'ai pas répondu.

Il a ajouté :

– Comment tu t'appelles?

– Tom.

– Attrape, Tom!

Il m'a jeté le paquet. Je l'ai ouvert et j'ai enfourné une pleine poignée de chips. Griff s'est assis sur le rocher, à côté de sa besace, sans me quitter des yeux. Pourquoi restait-il là?

– Tu attends quoi pour dégager? ai-je lancé.

– Euh... rien.

– Bon... eh bien moi j'y vais, ai-je annoncé en commençant à rassembler mes affaires éparpillées sur le sol pendant la bagarre.

– Moi aussi. On peut faire la route ensemble. Ce sera plus sûr.

– Plus sûr?

– Ben oui. Il t'est arrivé quelque chose, non? Pas sorcier de deviner qu'un mec tout seul, qui dort dehors, a forcément des ennuis. Toi aussi tes parents t'ont fichu à la porte?

– Si on veut.

J'ai renversé le paquet de chips dans ma main pour récupérer les dernières miettes tout en réfléchissant à sa proposition. Elle n'était pas idiote. Faire du stop présentait des risques, même en temps normal. Et j'avais un léger problème avec la police... mais elle cherchait *un* ado, un seul ! Deux garçons de quinze ans en vadrouille, voilà qui pouvait m'offrir une excellente couverture. Ma décision a été rapide.

– OK, j'accepte ton offre. Allons-y ! Première étape : trouver un chauffeur !

Malgré la pénombre, j'ai vu les yeux de Griff pétiller. Il a jeté sa besace sur son épaule et nous nous sommes mis en chemin.

Sur la route

09:52

Dissimulés par les arbres et les buissons, sur une hauteur surplombant la chaussée, Griff et moi avons repéré, garé devant une pompe à essence, un petit camion avec un plateau recouvert d'une bâche. Le chauffeur venait de pénétrer à l'intérieur de la station-service pour payer son carburant. Il a échangé quelques mots avec l'employé, qui a agité le bras pour lui indiquer le chemin.

– Il se dirige vers la ville, a remarqué Griff. Viens !

Dévalant la pente à toute vitesse, nous nous sommes approchés de l'arrière du véhicule. Après avoir lancé nos sacs, nous avons grimpé sur le plateau. Au moment où je tirais la bâche sur nous, j'ai cru distinguer comme la veille le vrombissement d'un hélicoptère.

Nous avons retenu notre respiration : les pas du routier se rapprochaient. Il a ouvert sa portière, s'est installé au volant et a démarré.

Lorsque le camion a pris de la vitesse, j'ai poussé un soupir de soulagement. Un panneau indiquait la distance jusqu'à Richmond : quatre-vingts kilomètres. Le trajet ne serait plus très long.

« J'arrive, Gaby, me répétais-je. Tiens bon. »

Griff et moi nous sommes installés le plus confortablement possible à l'arrière. Dans la cabine du conducteur, la radio marchait à fond, couvrant nos voix.

– Tu comprends, le nouveau copain de ma mère ne peut pas me blairer, m'a expliqué Griff en chuchotant.

Ma mère, elle, vivait chez Ralf désormais. J'avais beau savoir qu'il tentait de faciliter son existence, même de la protéger, ce déménagement semblait avoir creusé le fossé qui me séparait de ma famille et de notre ancienne vie.

– Alors, ils m'ont fichu à la porte, a poursuivi Griff.

Il a haussé les épaules.

– Et toi ?

– Pareil.

Je n'avais pas envie de lui dévoiler trop de détails.

Cela pourrait me poser des problèmes s'il apprenait qui j'étais réellement.

– Tu n'es pas très bavard, dis donc.

– Il me faut un peu de temps avant de sympathiser avec quelqu'un qui a essayé de voler mon sac.

Griff m'a donné une bourrade amicale.

– Allez, mec, je suis désolé.

Son intonation m'a rappelé Boris.

– Quand on vit dans la rue, s'est-il justifié, on finit par agir comme on n'aurait jamais pensé le faire.

Je ne le savais que trop.

– De toute façon, a-t-il continué, on suit le même chemin... tous les deux seuls... On ferait mieux de rester ensemble. Ça nous permettrait de veiller l'un sur l'autre.

– Je veillerai moi-même sur mon sac, si ça ne te dérange pas, ai-je rétorqué.

Griff a étouffé un rire. Était-ce une bonne idée de l'accepter comme compagnon de voyage ? Je n'en étais pas certain.

10:30

– Sympa, ta bague. Où tu l'as trouvée ?

Griff venait de remarquer la bague celtique que Gaby m'avait offerte. Il comptait peut-être me la faucher.

– C'est un cadeau de ma sœur. Mon père la lui avait rapportée d'Irlande.

Je possédais deux porte-bonheur censés m'éviter les ennuis: la bague de Gaby et l'ange gardien de Dep. Tous deux avaient échoué lamentablement dans leur mission.

– Elle me l'a donnée il n'y a pas très long-temps pour me protéger.

– Ça a marché. On est là, sains et saufs, on se dirige tranquillement vers la ville. Deux gars sans soucis.

Ben voyons. C'était exactement l'histoire de ma vie: je n'avais aucun souci!

– T'as une copine?

– Non, me suis-je empressé de répondre.

J'étais furieux que cette question fasse aussi-tôt surgir dans ma tête l'image de Winter: ses beaux yeux sombres, sa chevelure indisciplinée aux reflets étincelants. Comment pouvais-je penser à elle de cette façon alors que j'ignorais quel camp elle avait choisi: le mien ou celui de Sligo? Si un jour j'avais une petite amie, je m'assurerais qu'elle n'entretienne aucun lien avec des gangsters, surtout pas avec un assassin qui avait essayé de me tuer.

Les rayons du soleil zébraient nos vêtements et notre peau à travers les ouvertures de la bâche.

– C'est marrant, j'ai l'impression de t'avoir déjà croisé, a dit Griff en me dévisageant attentivement.

– Bienvenue au club.

– Quel club ?

– Je ne sais pas pourquoi, tout le monde croit m'avoir rencontré au moins une fois. Au fait, qu'est-ce que tu comptes faire à Richmond ?

Je préférais changer de sujet de conversation pour éviter le numéro du « on-s'est-déjà-vus-quelque-part-mais-où ? ».

– Je pense habiter chez ma tante. Elle m'a écrit une lettre une fois. Il y a longtemps.

– Tu n'as pas l'air très convaincu.

Il a haussé les épaules avant de proposer :

– Tu peux venir avec moi, si tu veux.

– Ta tante serait d'accord ?

« Ça m'étonnerait », ai-je pensé.

– Ouais. À mon avis, c'est une femme hyper cool. Elle est encore jeune. En plus, je suis sûr qu'elle vit seule.

– Écoute, je dois me rendre à l'hôpital de toute urgence.

– Ah bon ? T'as l'air en bonne santé pourtant, a plaisanté Griff. Un peu maigre, mais ça n'a jamais tué personne !

– Si je n'arrive pas à temps, ma sœur risque de mourir.

Ma voix s'est étranglée en prononçant ces mots.

– Elle est sous assistance respiratoire et dans le coma depuis trois mois.

Le sourire de Griff s'est effacé.

– C'est affreux! Elle a quel âge? Qu'est-ce qui lui est arrivé?

– Elle a neuf ans. Elle a fait une mauvaise chute au cours d'une randonnée, ai-je murmuré. Les médecins pensent qu'elle ne se réveillera jamais.

10:49

Nous sommes restés un moment silencieux, secoués par les cahots de la route. Griff me jetait un coup d'œil de temps à autre, comme s'il essayait de me percer à jour. J'ai resserré les bras autour de mon sac à dos.

14:22

Cela faisait des heures que Griff et moi avions grimpé à bord du camion. Le chauffeur s'arrêtait sans cesse sur son trajet. Il avait répondu au téléphone, était entré dans différents magasins. Chaque fois, nous transpirions sous la bâche en priant qu'il n'ait pas besoin de la soulever pour y prendre des affaires ou effectuer une livraison. À un moment, il s'était garé sur le parking d'une quincaillerie. Il avait traîné tellement longtemps à l'intérieur que nous avions failli lui fausser compagnie. Seul problème: nous nous trouvions juste en face d'une terrasse de café bondée. Attendre son retour était déjà pénible, mais c'était encore plus éprouvant de sentir toutes ces bonnes odeurs – café, hamburgers, *fish and chips* – nous titiller les narines.

Nous avions eu de la chance: le chauffeur ne s'était pas approché une seule fois de l'arrière de son camion. Nous abordions la banlieue de Richmond, beaucoup plus tard que prévu cependant.

– Il ne faut pas tarder à sauter, ai-je dit à Griff. Je ne sais pas exactement où on est, mais rester plus longtemps dans le camion me paraît risqué: ce type finira par nous découvrir. En plus, il va peut-être éviter le centre ville.

Griff a hoché la tête.

– Ça marche. Tu as eu ta dose de tubes ringards pour la journée, avoue-le!

– OK, j'avoue!

– Donne-moi ton numéro, Tom. Je t'appellerai de chez ma tante.

– Et si tu me donnais plutôt le tien?

Il m'a jeté un regard soupçonneux tandis que j'enregistrais ses coordonnées sur mon portable. J'ai vu son front constellé de taches de rousseur se plisser quand il m'a posé la question qui me hantait depuis ma discussion avec Boris:

– Tu crois que ta petite sœur va s'en sortir?

14:36

Finalement, sauter du camion n'a pas été difficile. Nous avons attendu que le conducteur stoppe à un feu rouge. Une fois sûrs qu'il n'y avait ni voitures derrière nous, ni piétons à proximité, nous nous sommes glissés sur la chaussée. Il était temps : le camion a continué tout droit sur environ deux cents mètres puis il a bifurqué à gauche pour contourner Richmond.

Je me suis promis de me tenir désormais à l'écart de tout véhicule. Entre le coffre de la Mercedes d'Oriana de Witt, le pick-up de Clark Drysdale, la voiture de Melba Snipe... sans oublier le train..., j'avais eu plus que mon compte de sensations fortes.

14:59

Nous avons échoué dans un quartier que je connaissais : les halles centrales, un marché où l'on vendait principalement des primeurs et des denrées fraîches (fruits, légumes, pain). L'hôpital, lui, n'était plus très loin d'ici. Il me fallait trouver un endroit où me décrasser un peu avant de franchir ses portes.

Même si j'ignorais les intentions exactes de Griff, je me sentais en sécurité avec lui : j'avais l'impression de passer plus facilement inaperçu.

Mon portable a émis un bip.

📱 Ne vi1 surtt pa a l'osto auj!

📱 Pk?

📱 J sui. Gardi1 partou. T1kièt, C pa pr toi. Manif
infirmié. LS tomB.

– Tout va bien? a demandé Griff.
– Oui, oui, juste un petit changement de
programme.

4 avril
J –272

Richmond Bridge

10:23

Dep serait obligé de patienter encore un peu pour récupérer l'argent que je lui devais : Griff et moi avions pioché dedans la veille au soir. Après le texto de Boris, je m'étais dit que nous ferions bien de manger un morceau et de chercher un endroit où passer la nuit. J'avais acheté des fruits au marché et des kebabs à un marchand ambulant. Ensuite, nous nous étions littéralement écroulés sur une dalle en béton qui formait une saillie sous Richmond Bridge.

Je venais de me réveiller. J'essayais de m'éclaircir les idées, de mettre au point un plan d'action pour la journée quand, en regardant l'heure sur mon portable, j'ai découvert que j'avais reçu plusieurs appels et un texto.

CAL ! PK TU REP PA ?! GABY DBRANCHÉ A
11:30 CE MAT1 !! STP DPECH TOI, TU DOIS LÉ
EMPECHÉ !!! G SUPLIÉ TA MER 2 PA FR ÇA ! L VE
PA MÉCOUT ! VI1 VITE CAL !!!!

10:28

Mon pouls s'est emballé lorsque j'ai réalisé
que je ne disposais plus que d'une heure devant
moi ! J'avais l'impression de devenir fou. Je
me sentais incapable d'aligner deux idées. La
panique me submergeait. Jamais je n'avais
éprouvé une terreur pareille.

Plus fort que la panique, mon instinct de
survie a refait surface, un instinct dont j'ignorais l'impact jusqu'à présent. « Les hôpitaux
sont truffés de caméras de surveillance, me
suis-je dit. Si on te reconnaît, on ne te laissera
même pas approcher de la chambre de Gaby.
Tu dois à tout prix garder ton calme, ne pas
te faire arrêter avant de les avoir empêchés
de commettre l'irréparable. La vie de Gaby en
dépend. »

J'avais aperçu des toilettes publiques la veille.
Je les ai cherchées frénétiquement des yeux.

Quand je les ai repérées, j'ai secoué Griff :

– Qu'est-ce qui se passe ? a-t-il bredouillé,
encore à moitié endormi.

– Il faut que j'aille à l'hôpital immédiatement ! Dans moins d'une heure, les médecins risquent de débrancher ma sœur !

Il s'est relevé avec maladresse, a ramassé sa besace puis m'a suivi en courant vers le bâtiment public.

Dans le miroir couvert de taches, j'ai regardé mes cheveux : ils commençaient à repousser et comme leur couleur noire s'estompait, ils devenaient d'un blond sale.

10:43

Tandis que je me lavais la figure et les mains, une ribambelle d'images de ma sœur a défilé dans ma tête.

J'avais envie de vomir. Malgré ma détermination, je n'étais pas sûr d'arriver à temps ni de trouver une solution pour la sauver. Cette pensée me terrorisait, cependant je devais tout tenter.

J'ai plaqué mes cheveux en arrière avec de l'eau. J'avais beaucoup changé. Mon visage paraissait plus mince. Mes faux piercings étaient tombés. Quant aux tatouages, ils avaient disparu.

D'une main tremblante, j'ai sorti de mon sac à dos un anneau que j'ai pincé sur ma narine.

Mon cœur battait à grands coups, semblant répéter :

« Plus vite, plus vite, plus vite ! »

Griff m'observait d'un air complètement désorienté. Il se demandait sans doute pourquoi je
maquillais ainsi mon apparence. Il ne savait pas
qui j'étais.

Il ignorait que si je ne camouflais pas mon
identité, on m'arrêterait... et qu'alors Gaby
mourrait.

– Ça te change drôlement, a-t-il remarqué
d'un air perplexe.

– Je t'expliquerai plus tard, ai-je répliqué en
fouillant dans mon sac à la recherche du crayon
khôl que Boris m'avait apporté dans la planque
de St Johns Street.

L'urgence rendait mes doigts malhabiles et
tremblants.

J'ai noirci mes sourcils et souligné le contour
de mes yeux. Mon cœur tambourinait toujours
aussi fort: « J'arrive, Gaby, tiens bon ».

J'ai enfilé les courroies de mon sac à dos,
foncé vers la porte.

– Bonne chance pour ta sœur! m'a lancé
Griff. J'espère que tu réussiras!

10:56

Après un rapide coup d'œil sur mon portable
pour vérifier l'heure, j'ai filé à toute vitesse
jusqu'à l'hôpital.

11:14

Tout autour de l'entrée de l'établissement, j'ai repéré des caméras de surveillance fixées en hauteur.

« Détends-toi, aie l'air calme, mon vieux », me répétais-je.

Un gardien baraqué en combinaison bleu marine, bottes et ceinturon, équipé d'un talkie-walkie et d'une matraque, m'a lorgné quand j'ai franchi les portes.

J'étais terrifié à l'idée d'être reconnu avant d'avoir vu ma sœur, toutefois je me suis dirigé vers la réception d'un pas décidé. Je n'avais pas une seconde à perdre.

J'ai consulté l'heure.

11:17

Il me restait exactement treize minutes !

Obligé de patienter derrière des gens qui n'en finissaient pas de poser des questions idiotes à l'hôtesse d'accueil, je fixais avec angoisse l'horloge murale au-dessus de l'entrée.

Les minutes défilaient.

– Bonjour, la chambre de Gaby Ormond, s'il vous plaît, ai-je demandé à l'hôtesse quand elle a enfin pu s'occuper de moi.

Elle a penché sa tête blonde, sorti le dossier de ma sœur, puis parcouru une note manuscrite. « Vite, je vous en prie ! » la pressais-je intérieurement. Elle prenait tout son temps. Derrière elle, une minuscule caméra de surveillance enregistrait le moindre détail. Prudent, j'ai gardé mon visage à moitié tourné de l'autre côté.

– Vous êtes de la famille ? s'est enquise l'hôtesse avec compassion.

J'ai hésité. Si je répondais non, je n'aurais probablement pas le droit d'aller au chevet de Gaby. Si je répondais oui, je serais obligé de dévoiler mon identité.

– Je vous en prie, ai-je supplié, éludant la question. Je dois la voir.

– Je regrette, seule la famille y est autorisée à ce stade.

Un frisson de terreur m'a traversé.

– Comment ça, *à ce stade* ? Qu'est-ce que cela signifie ?

– Je suis désolée, je n'ai pas le droit de communiquer des renseignements sur les malades, m'a-t-elle répondu avec une extrême gentillesse. Si vous voulez lui rendre visite, vous devez obtenir au préalable l'autorisation de l'équipe médicale ou de sa famille.

Je me suis éloigné, au comble de l'angoisse. Elle avait dit : « à ce stade ». Est-ce que j'arrivais trop tard ? C'était déjà fini ? Jamais je ne pourrais me le pardonner. D'un œil hagard, j'ai consulté les panneaux affichés au mur. Malgré la confusion qui régnait dans mon esprit, j'ai distingué sur l'un d'eux les trois lettres blanches U.S.I. accompagnées d'une flèche orientée vers la droite.

Unité de soins intensifs
Hôpital Sainte-Marie

11:25

Je me suis rué dans la direction indiquée le long d'un couloir jusqu'à une double porte sur laquelle étaient inscrits en capitales les mots UNITÉ DE SOINS INTENSIFS. Devant moi, une femme en uniforme blanc poussait un chariot. Les battants se sont ouverts sur un infirmier. Il a regardé sa montre, adressé un signe de tête à sa collègue puis est parti vers les toilettes.

Je me suis glissé sans bruit derrière la femme au chariot et je me suis retrouvé dans une vaste salle. L'infirmière s'est dirigée vers une porte au fond.

J'ignorais quand cette femme, ou l'infirmier que j'avais vu entrer dans les toilettes, repasseraient. Je n'avais qu'une certitude. Je disposais de très peu de temps avant qu'on s'inquiète de ma présence dans ces lieux.

11:26

Lorsque l'infirmière a ouvert la porte du fond, j'ai aperçu ma mère.

Sa vue m'a brisé le cœur. Une partie de moi mourait d'envie de courir se jeter dans ses bras, tandis que l'autre voulait lui crier : « Comment peux-tu laisser débrancher Gaby ? Ou imaginer une seconde que je l'aie agressée et plongée dans le coma ? »

Cependant ma colère s'est évanouie quand j'ai réalisé à quel point elle était maigre, voûtée et anéantie. En quelques mois, la jolie jeune femme insouciante que je connaissais si bien avait disparu pour céder la place à une étrangère d'une pâleur mortelle.

Assourdi par le sang qui battait contre mes tympans, je me suis figé, indécis.

Ralf est alors entré dans mon champ de vision. Il a enlacé les épaules de ma mère. Lui aussi m'a paru changé. Son teint était grisâtre et il avait minci depuis la dernière fois, lorsque je l'avais surpris, au Burger Bar, en pleine conversation avec son notaire.

La tête baissée, ma mère pleurait. Penché sur elle, un prêtre lui parlait.

D'une seconde à l'autre, l'équipe médicale allait commettre l'irréparable.

11:28

Je devinais quatre lits, chacun abrité derrière des rideaux blancs. M'avançant sur la pointe des pieds, j'ai écarté le rideau du premier lit : un vieillard y était couché, la bouche ouverte, les yeux clos.

Je me suis faufilé jusqu'au suivant où gisait, immobile, relié à toutes sortes d'appareils et de perfusions, un garçon couvert de bandages.

Le troisième lit était vide. Des supports à perfusion et deux moniteurs éteints étaient regroupés à sa tête.

J'étais sûr qu'il s'agissait de celui de Gaby. Étais-je arrivé trop tard pour tenter de sauver ma petite sœur ? Et si les médecins avaient agi plus tôt que Boris ne me l'avait annoncé ? Voilà sans doute pourquoi ma mère pleurait tandis que Ralf et le prêtre s'efforçaient de la réconforter. J'étais sur le point de hurler, me moquant complètement d'être arrêté, lorsque j'ai entendu quelque chose qui m'a coupé le souffle.

Tout près de moi s'élevait une voix murmurant l'une des berceuses préférées de Gaby quand elle était petite.

– *Tous les jolis petits chevaux, noirs, blancs, bais ou gris, tous les jolis petits chevaux...*

Gaby adorait jouer en fredonnant cette berceuse que ma mère lui chantait le soir.

Mes doigts tremblants ont écarté le rideau du dernier lit. Gaby y était allongée, les yeux fermés, le visage blafard, presque aussi blanc que l'oreiller sur lequel elle reposait. Un tube de plastique sortait de son nez et sa poitrine se soulevait au rythme d'un respirateur artificiel. Un écran affichait le tracé des battements très lents de son cœur. Tout près de sa tête, une radio CD portable diffusait en sourdine la comptine que j'avais reconnue.

J'étais sous le choc. On aurait dit que ma petite sœur avait été aspirée de l'intérieur, qu'il ne restait d'elle que son enveloppe. Ma mère avait noué un ruban bleu dans ses cheveux. Elle paraissait encore plus jeune. Sans le léger mouvement régulier de sa poitrine et les bips électroniques du moniteur, on l'aurait crue morte.

Mes yeux se sont emplis de larmes lorsque j'ai serré sa petite main glacée. Ma bouche contre son oreille, je lui ai murmuré en mettant toute mon âme, tout mon cœur, toute mon énergie dans les mots que je prononçais:

– Gaby, écoute. C'est moi, Cal. Je suis ici à côté de toi et je te demande de ne pas partir. Tu as toute une vie à vivre. Tu dois te réveiller.

110

Je t'en supplie. Je ne t'ai pas agressée, nous le savons tous les deux. Sache aussi que je suis sain et sauf. Je regrette tellement de ne pas être venu te voir plus tôt. Quand tu iras mieux, je t'expliquerai tout. Je reviendrai dès que possible, seulement j'ai besoin d'être rassuré sur ta santé pour découvrir la vérité sur les recherches de papa en Irlande. Je ne pourrai rien faire sans toi! Alors réveille-toi vite, Gaby! Je t'en prie, j'ai besoin de toi, tu me manques. Promets-moi que tu ne vas pas mourir!

Son visage est demeuré calme, immobile, cependant j'ai remarqué qu'une petite veine bleue palpitait sur sa tempe. Je lui ai serré la main encore plus fort.

– Tu n'es pas obligée de parler. Fais-moi un signe! Même infime!

Ce qui s'est produit ensuite est difficile à décrire. Était-ce le fruit de mon imagination ou avais-je vraiment vu son corps se dilater légèrement, comme traversé par une onde?

Une voix rauque dans mon dos m'a ramené à la réalité.

– Cal!

Ma mère se trouvait au pied du lit, les yeux écarquillés de stupeur. Elle a lâché la poignée de mouchoirs qu'elle tenait dans sa main.

– Cal, c'est toi? Tu es à peine reconnaissable. Qu'est-ce que tu fabriques ici? Qu'est-ce que tu veux à Gaby?

– Maman… Il fallait que je vienne. Tu ne peux pas laisser les médecins débrancher tous ses appareils!

J'ai jeté un coup d'œil à ma petite sœur. Ses paupières ont frémi. Je ne rêvais pas.

– Regarde! Tu as vu? Gaby réagit!

D'un geste hésitant, ma mère a rapproché sa main du bouton rouge d'appel d'urgence.

– Tu as vu, maman? ai-je répété. Ses paupières ont bougé!

Mais elle ne prêtait pas attention à Gaby. C'était moi qu'elle ne quittait pas des yeux.

– Cal, je n'ai pas le choix. Je vais appeler une infirmière!

– Tout ce dont on m'accuse est faux. Je suis innocent. Tu dois me croire!

Je devais agir vite. Le personnel médical et les agents de la sécurité ne tarderaient pas à arriver.

– Je suis le même qu'avant, je n'ai pas changé.

Elle m'a interrompu:

– Je m'en veux tellement. Il s'est produit quelque chose quand tu étais petit… j'aurais dû te révéler la vérité il y a longtemps. Cet événement t'a perturbé, Cal.

– J'ignore de quoi tu parles, maman. Je t'en prie, regarde Gaby, observe ses paupières. Tu vois! Elle recommence!

En effet, les longs cils de ma sœur vibraient légèrement sur ses joues pâles.

Ma mère a tourné la tête vers Gaby puis vers moi. Elle avait raté cet instant fugace.

– Je ne remarque rien, a-t-elle dit.

Elle a tendu la main vers l'alarme. Elle allait appuyer quand Ralf a surgi derrière elle.

– Non, Erin, ne fais pas ça! Pas avant qu'il ait répondu à mes questions...

Trop tard. Esquivant d'un geste vif Ralf qui tentait de l'en empêcher, ma mère a pressé le bouton rouge.

– Je t'en prie, Cal. Rentre à la maison. Tu es mon fils et je t'aimerai toujours quoi qu'il arrive! C'est le seul moyen de te protéger des conséquences de tes actes. Je t'en supplie!

– Comment peux-tu envisager une seule seconde de sacrifier Gaby?

J'ai arraché la bague celtique de mon doigt pour l'enfiler sur le majeur de Gaby afin qu'elle sache que j'étais venu à son chevet. « Un jour, me suis-je promis, je convaincrai ma mère de mon innocence, elle comprendra. »

– Tu n'étais pas là, toi! Tu ne l'as pas vue dépérir! Tu n'as pas eu à la regarder souffrir! m'a reproché ma mère.

J'ai lâché la main de Gaby et je me suis redressé.

Il s'est alors produit une chose terrible. Ma mère a tressailli quand je me suis approché d'elle, reculant comme si elle redoutait que je la frappe! Elle avait peur de moi! Ma propre mère craignait mes réactions!

Un tourbillon de sentiments confus s'est déchaîné en moi, à tel point que j'ai cru exploser de douleur. L'alarme avait été déclenchée. Je devais me sauver.

L'équipe des urgences accourait déjà dans le couloir, de l'autre côté de la double porte.

Brusquement, une pensée m'a traversé l'esprit : « Si Gaby meurt, à quoi bon fuir ? Je n'ai qu'à me rendre. Elle est ma seule famille, la seule pour qui j'aie encore envie de me battre. »

Au fond de moi, un souffle murmurait : « Tu dois rester libre afin de découvrir la vérité. »

J'ai repris mes esprits et franchi la porte de la chambre.

La voix de ma mère chargée de larmes et de colère s'estompait. Je me suis rué hors de l'unité de soins intensifs, croisant le groupe de médecins et d'infirmiers qui s'élançaient au chevet de Gaby, blouse blanche volant au vent, stéthoscope tressautant sur la poitrine. Dans leur précipitation, ils ne m'ont même pas remarqué.

C'est alors que, dans mon dos, j'ai entendu une infirmière crier :

– Mrs Ormond ! Mrs Ormond ! Votre fille réagit ! Ses paupières ont frémi !

– C'est vrai, Erin ! Regarde ! a hurlé Ralf. Elle a bougé !

Une immense bouffée de joie m'a envahi. « Elle va s'en sortir ! » ai-je pensé. J'étais si heureux que mes yeux se sont emplis de larmes et que j'ai poussé un cri de triomphe muet : « Bravo, Gaby ! »

Étonnés de me voir courir, les visiteurs se retournaient sur mon passage. Je ne pouvais éviter les caméras de surveillance. Je gardais donc la tête baissée.

J'avais presque atteint la réception quand l'alarme s'est arrêtée. Un bref silence est retombé, aussitôt brisé par une annonce diffusée par les haut-parleurs.

Au même instant, un homme au visage grave est apparu sur tous les écrans de télévision fixés dans les couloirs et les salles d'attente.

– Attention! Attention! Ceci n'est pas un exercice! La sécurité de l'hôpital est menacée. Ne vous approchez surtout pas de cet individu.

Une seconde après, j'ai vu mon image s'afficher en grand.

– Ce garçon est un criminel dangereux recherché par la police. Gardez votre calme. Le personnel va vous aider à évacuer l'établissement... Attention! Attention!...

J'ai dépassé la réception à toute vitesse et aperçu au loin le vigile qui se hâtait vers les portes de l'entrée.

Plus rapide que lui, je les ai atteintes le premier et poussées violemment.

À l'instant où je sautais les marches d'un bond, une voiture de police a pilé au bord du trottoir dans un crissement de pneus, presque à mes pieds!

Le gros homme assis à la place du passager s'est tourné vers moi. Nos regards se sont croisés. Oh non! De tous les policiers de Richmond, il fallait que je tombe sur celui-là! Il s'agissait du type qui avait trébuché sur Boris dans le squat de St Johns Street en voulant l'arrêter... celui à qui j'avais inoculé un produit anesthésiant avant de lui voler sa bombe lacrymogène. Je jouais de malchance.

– C'est lui le voyou qui m'a attaqué, le fugitif que tout le monde traque! a-t-il hurlé. Attrapez-le!

En raison de sa corpulence il a mis quelques secondes à s'extirper de la voiture, ce qui m'a permis de filer.

– Arrêtez-le! Police! Ne le laissez pas s'échapper!

J'ai évité un groupe de badauds trop ébahis pour s'écarter de mon chemin puis, sans ralentir afin de regarder derrière moi, j'ai tourné au coin de la rue et continué à courir. Mon cerveau était en ébullition. Je pensais à Gaby, enfin sortie du coma, mais aussi au choc des retrouvailles avec ma mère, devenue une étrangère. J'étais partagé entre joie et tristesse... À présent, la panique d'être à nouveau poursuivi prenait le dessus.

Derrière moi, j'ai entendu la voiture de police accélérer à fond et se rapprocher. Il y avait foule dans la rue, malgré tout je restais une cible trop facile. Je devais semer les policiers.

J'ai bifurqué brusquement sur la gauche dans une ruelle. Ils ont actionné leur sirène. J'ai redoublé d'efforts mais mon cœur s'est brusquement serré : je m'étais engouffré dans un cul-de-sac !

Un grillage de protection contre les cyclones m'interdisait l'accès au stade qui s'étendait de l'autre côté. La police gagnait du terrain. Je n'avais pas le choix. J'ai escaladé la clôture alors que la voiture s'arrêtait juste derrière moi.

En un éclair, le gros policier à qui j'avais volé la bombe lacrymogène s'est jeté sur moi !

Il m'a saisi la jambe, celle dans laquelle un lion avait planté ses griffes deux mois plus tôt. Hurlant de douleur, je lui ai lancé un coup de pied dont la violence m'a moi-même étonné. Mon agresseur a poussé un cri en tenant son nez ensanglanté. J'ai réussi à me libérer de son étreinte, à terminer mon escalade puis à enjamber le grillage avant de me laisser retomber lourdement sur l'herbe.

J'avais envie de danser de joie, mais il était urgent de déguerpir : il ne leur faudrait pas longtemps pour contourner le stade et me coincer.

J'ai coupé à toute allure par le centre de la pelouse. Une fois de l'autre côté, j'ai dû escalader un nouveau grillage de protection. Comme j'atterrissais au sol, j'ai entendu le hurlement de la sirène de police.

Ils étaient déjà là !

Affolé, j'ai cherché des yeux une issue. Une étroite allée s'ouvrait devant moi. Je m'y suis précipité. Arrivé à l'autre bout, j'ai jeté un coup d'œil par-dessus mon épaule. La voiture de patrouille était garée à l'entrée du passage. Le gros policier en a jailli. Mais il se trouvait trop loin pour espérer me rattraper.

Entrepôt abandonné

20:23

Après avoir semé la police, je me suis caché dans un entrepôt vide, à proximité d'une imprimerie. J'ai repassé dans ma tête l'épisode de l'hôpital. Pour la première fois, penser à Gaby sur son lit de l'unité de soins intensifs était un soulagement. Elle était sauvée, du moins pour l'instant.

En outre, j'avais déniché un endroit où dormir. J'aurais préféré retourner au squat de St Johns Street, seulement ce n'était pas prudent. Le repaire de Dep aurait été la planque idéale, sauf que je n'étais pas sûr de le trouver chez lui, et que Griff et moi avions dépensé une partie de l'argent que je lui devais. L'abri dans lequel je m'apprêtais à passer la nuit n'était pas si mal... en attendant mieux.

En sortant mon duvet de mon sac à dos, j'ai fait tomber le livre que m'avait confié Melba Snipe.

J'avais complètement oublié ma promesse de le rapporter à son amie, Elvire. Melba avait été vraiment chic avec moi. Je tenais à respecter mon engagement. « Dès demain, j'irai! » ai-je décidé.

5 avril
J –271

09:21

Elvire Smith
39 Chester Road
Greenaway Park

L'amie de Melba habitait une banlieue à quelques kilomètres de Richmond : Greenaway Park, au bord de la rivière Canterbury. Quand j'étais petit, à l'époque où j'avais encore une vraie famille, nous allions pêcher là-bas. Comme ce temps me paraissait loin !

J'ai chassé au plus vite ces accès de nostalgie. La capuche de mon sweat rabattue sur le front, j'ai repris la route.

39 Chester Road
Greenaway Park

`11:00`

Avec son revêtement de planches en bois, la maison d'Elvire était la dernière représentante de ce style dans cette rue bâtie au bord de l'eau. Elle se démarquait de ses voisines, toutes de grandes villas modernes.

Manifestement, l'amie de Melba n'avait pas l'intention de vendre sa propriété à un promoteur immobilier.

Comme promis, j'ai déposé dans la boîte aux lettres le livre enfermé dans son sac en papier avant de descendre en flânant le sentier herbeux menant à la rivière.

Le doux clapotis de l'eau m'a réconforté.

Je me tenais exactement à l'endroit où mon père et moi, et aussi très souvent Boris, venions pêcher.

À cette époque, mon père n'avait pas encore acheté son bateau (celui que Ralf et moi avions perdu dans la baie des Lames la nuit du nouvel an) et toutes les maisons de Chester Road ressemblaient à celle d'Elvire. La plupart du temps, nous nous installions sur le ponton, à côté des gens du coin.

11:18

Le ponton, très abîmé, se trouvait toujours là, légèrement de travers. Ses piliers étaient à moitié pourris et l'un d'eux présentait une dangereuse inclinaison. Mon attention a vite été détournée par la cabane bleue – un vieux hangar à bateaux – qui s'élevait au fond du jardin d'Elvire.

Construit juste en bordure de la rivière, il empiétait sur l'eau. J'ai longé la berge pour l'observer de plus près, avant de monter sur l'étroite plate-forme en bois qui bordait un des côtés et d'avancer à pas prudents jusqu'à la porte du hangar. La peinture s'écaillait et les carreaux disparaissaient sous la poussière. J'en ai essuyé un pour observer l'intérieur, à travers les toiles d'araignée. Il n'y avait pas de bateau, cependant je voyais l'eau sombre miroiter là où, autrefois, on en gardait sans doute un à l'abri des intempéries.

Il m'a suffi de tourner la vieille poignée ronde en cuivre et de donner un léger coup de pied pour que la porte s'ouvre.

Prudent, j'ai rapidement inspecté les alentours afin de m'assurer que personne ne m'avait repéré. Je n'avais aucun souci à me faire : la rivière était déserte et, dans mon dos, la dénivellation du terrain empêchait quiconque de me surprendre depuis les maisons.

Quand j'ai fait glisser mon sac de mon épaule droite, la mystérieuse douleur s'est réveillée, m'arrachant une grimace. Sans y prêter davantage attention, j'ai examiné les lieux.

Le plancher était inégal et d'apparence vermoulue, mais il serait toujours assez solide pour supporter mon poids. Il occupait la moitié de la surface du hangar et se terminait par une large marche, à l'emplacement où le bateau devait être amarré. Une étroite passerelle en bois courait de chaque côté de l'eau noire et paisible. Au fond, deux vieux vantaux de bois entrouverts donnaient sur la rivière.

De hautes étagères poussiéreuses s'alignaient contre les murs. Sur un établi étaient disposés quelques pots de peinture, une paire de bottes en caoutchouc et un gilet de sauvetage moisi. De plusieurs crochets rouillés fixés au plafond pendait un attirail de pêche vétuste : cannes, moulinets, filets.

L'objet le plus moderne de tout ce bric-à-brac était l'ampoule électrique se balançant au bout d'un fil branché juste au-dessus de l'établi. J'ai actionné l'interrupteur : l'ampoule a grésillé une seconde avant de rendre l'âme. Cela ne me dérangeait pas. De toute façon, je n'aurais jamais osé allumer. En revanche, j'étais très content que le courant fonctionne.

J'ai découvert aussi un évier profond dont j'ai tourné les robinets : précédé de quelques bruits sourds dans les tuyaux, un filet d'eau a fini par en sortir, d'abord marron, puis limpide.

Ce hangar m'offrait de l'eau, de l'électricité et un toit. Vu que je n'avais pas l'intention de m'éloigner de la ville avant d'être complètement rassuré sur l'état de santé de Gaby, je pouvais me féliciter d'avoir trouvé ce nouvel abri.

12 avril
J –264

16:45

J'ai passé une semaine tranquille à me reposer et remettre de l'ordre dans mes idées.

J'avais absolument besoin de parler à Boris
– cela faisait une éternité que nous ne nous
étions pas vus – mais, depuis mon irruption
dans l'hôpital Sainte-Marie, il lui était impossible de quitter sa maison sans éveiller les
soupçons.

Je lui avais laissé un message le prévenant
que je m'étais réfugié dans le vieux hangar à
bateaux bleu, tout près de l'endroit où nous
allions pêcher avec mon père.

J'espérais qu'il viendrait bientôt me ravitailler, car je manquais de tout ou presque : argent, nourriture, piles électriques. Celles de ma petite radio étaient quasiment mortes. J'avais tout de même réussi à écouter les informations. Cette fois, mon nom était associé à une nouvelle et terrible allégation : on prétendait que j'avais voulu agresser ma sœur sans défense sur son lit d'hôpital. Bien sûr on oubliait de préciser que les médecins réanimateurs s'apprêtaient à la débrancher !

Mes pensées sont revenues vers Boris. Il n'avait toujours pas lu l'Énigme ! Il fallait qu'il m'aide à la déchiffrer...

Après tout le mal que Dep et moi nous étions donné pour la dérober chez Oriana de Witt, elle n'allait pas moisir indéfiniment au fond de mon sac, réduite à l'état de charabia incompréhensible. J'enrageais de perdre ainsi du temps, mais j'étais bloqué.

Apprendre que Gaby était toujours en vie et montrait des signes d'amélioration m'avait pourtant remonté le moral.

J'espérais de tout mon cœur qu'elle avait entendu les paroles que je lui avais murmurées à l'oreille pendant les quelques minutes où j'étais resté seul avec elle.

Les jours raccourcissaient. Je commençais à craindre l'arrivée de l'hiver[1].

---

1. En Australie, comme dans tout l'hémisphère Sud, les saisons sont inversées.

Comment supporter le froid dans ce hangar à bateaux humide ? Cette perspective ne me réjouissait guère, néanmoins je résistais jour après jour. Quand le vent se levait, il soufflait très fort et gémissait entre les planches. Quand le temps était pluvieux, le toit fuyait abondamment. J'avais beau tenter de refuser l'évidence, au fond de moi je savais que cet abri s'avérerait invivable dès que la température chuterait pour de bon.

Je me suis demandé si Griff avait eu plus de chance que moi. Avait-il finalement trouvé refuge auprès de sa tante ?

J'avais pris la précaution de bloquer la porte du hangar avec une cale en bois. Si quelqu'un essayait d'entrer, j'aurais le temps de plonger dans l'eau afin de rejoindre la rivière à la nage, ou alors de m'échapper par la fenêtre qui s'ouvrait sur le mur opposé et de filer le long de la berge.

J'avais également déblayé l'établi de toutes les vieilleries et les saletés qui l'encombraient pour le transformer en une sorte de bureau, éclairé par la fenêtre.

Je consacrais une partie de mon temps à étudier l'Énigme Ormond. Je lisais et relisais chaque mot, tentant de lui donner un sens. Je m'interrogeais aussi sur les deux derniers vers : qu'étaient-ils devenus ? Ce texte avait-il un lien avec les dessins de mon père ? Je n'en voyais aucun.

Je parcourais ensuite la correspondance d'Oriana de Witt avec le cabinet Hobson et Dodd, terrifié à l'idée que l'avertissement du fou à propos du 31 décembre soit justifié.

À deux ou trois reprises, j'ai failli appeler Winter pour solliciter son aide. C'était une fille astucieuse. Cependant, si la solution de l'Énigme se nichait dans ses deux derniers vers, il me fallait d'abord les retrouver. Sans eux, nous n'arriverions à rien.

15 avril
J –261

20:23

📱 Slt Cal ça va ? Dzolé pa paC. Tro dur. Ri1 2 9 pour Gaby. L clign des yeu. C tou. T1kièt.

📱 Slt Boris ! V bi1. Per du temps mé pa le choi. Merci pr nouvL Gaby. Émeré bi1 te voir dè ke tu peu.

📱 OK.

📱 En tt K G lénigm !

📱 Koi ? Gnial ! Te prévi1 kan je pe venir.

19 avril
J –257

15:12

___

Les jours passaient. Je commençais à m'inquiéter sérieusement pour Boris.

Je ne me rappelais même plus quand je l'avais vu la dernière fois. Depuis le début de ce cauchemar, jamais il n'avait tant tardé à me rejoindre. Pourquoi était-il à ce point obligé de se cacher ? Était-il suivi ? Avait-il des ennuis avec la police ? L'avait-on accusé d'avoir aidé un fugitif, d'être mon complice ?

Il me fallait à tout prix le contacter pour me rassurer.

 Tu va bi1 Boris ?

✳—

Quand enfin mon portable a sonné, je me suis jeté dessus.

– Boris, c'est toi! Qu'est-ce qui t'arrive? Ça va? Je m'inquiétais!

– Je sais, mec, ça fait un bail. Désolé. Oui, je vais bien. Parle-moi plutôt de toi. Comment ça se passe? Tu squattes toujours le vieux hangar à bateaux?

– Oui, il n'est pas immense, délabré mais très tranquille. Personne n'aura jamais l'intention de venir me déranger ici. Alors, raconte-moi ces derniers jours. Tu n'as pas idée de tous les scénarios terribles que j'ai imaginés, sans nouvelles de toi je flippe!

– Oh, t'inquiète pas pour moi. Je reste sagement à la maison comme un gentil garçon, je vais au lycée tous les jours, je fais mes devoirs, j'aide ma mère. À propos, la tienne semble aller nettement mieux. Elle jure que Gaby a ouvert les yeux, l'a regardée et lui a souri l'autre jour. Je crois que ton intervention à l'hôpital a porté ses fruits. Désormais Gaby réagit à la voix et au toucher. Pas beaucoup, ne t'emballe pas, mais assez pour empêcher les médecins de prétendre qu'il n'y a « plus d'espoir ».

Un intense soulagement m'a envahi.

– Malgré tout, a repris Boris, ils disent qu'il s'agit peut-être de simples réflexes.

– Ils tenaient le même discours au sujet de mon père. Alors qu'on sait parfaitement tous les deux qu'ils se trompaient. Papa tentait vraiment de parler. Il a essayé jusqu'à la fin.

J'ai pensé à Jennifer Smith : *elle* avait compris que mon père utilisait ses yeux et ses paupières pour communiquer.

– Et toi, Cal ? Tu en as vécu des aventures, mon vieux ! Mais rassure-toi, je n'ai pas cru une seule seconde que tu t'étais sauvé en laissant ce fermier se noyer.

– Quoi ? Qu'est-ce que tu racontes ?

– Tous les médias l'affirmaient il y a deux semaines. Selon eux, tu aurais abandonné un homme inconscient coincé sous son pick-up, alors qu'il avait la tête immergée dans la rivière.

– C'est faux ! Archifaux ! Au contraire ! Je lui ai maintenu la tête hors de l'eau pour lui éviter la noyade jusqu'à ce qu'un policier me relaie !

– Personne n'a rien dit à ce sujet, mais ça ne m'étonne pas. De toute façon, Clark Drysdale ne te reproche rien. Au contraire. Il a même déclaré que tu avais l'air d'un brave garçon sans histoires. Cool, mec !

Boris s'est mis à rire avant de reprendre plus sérieusement :

– Bon, le battage médiatique et policier s'est un peu calmé à présent, mais tant que je ne suis pas certain de pouvoir agir sans éveiller les soupçons, je préfère me montrer circonspect.

Boris est bien le seul garçon de mon âge à employer des mots comme « circonspect ».

– Au fait, les flics m'ont confisqué mon portable. Ne t'inquiète pas, ils n'ont toujours pas découvert que j'en utilise un autre pour t'appeler. Et le type est revenu, lui aussi. Tu te souviens du propriétaire de la berline gris métallisé?

– Celui qui faisait le guet devant chez toi? Le gars qui t'avait suivi à Memorial Park le jour où je t'ai montré l'ange Ormond? Celui que Winter appelle Zombrovski?

– Oui, celui-là. Depuis quelque temps, je le croise sans arrêt dans le coin: quand je pars au lycée, quand je rentre à la maison. La semaine dernière, je l'ai même repéré en face de l'atelier d'arts plastiques, pendant le cours! Alors je préfère rester sur mes gardes. Si Winter a été capable de me pister jusqu'à ton squat de St Johns Street, il pourrait me suivre jusqu'à ta nouvelle planque.

Je devais admettre qu'il avait raison. J'ai changé de sujet.

– Tu gardes un œil sur mon blog, Boris? Je ne m'en suis pas préoccupé ces jours-ci mais quand j'entends les horreurs que les médias débitent sur moi, l'envie de rétablir la vérité me démange. On me décrit comme un monstre!

– Écoute, ne te prends pas la tête avec ça, OK? Dès que je peux, je viens avec mon ordinateur. Passons au plus important: tu as vraiment récupéré l'Énigme?

– Et comment!

L'enthousiasme de Boris m'a réjoui. La dernière fois que j'avais abordé le sujet, il m'avait interrompu d'un ton grave pour m'alerter sur l'état critique de Gaby.

– Tu es sérieux ? Il s'agit bien de l'énigme que possédait Oriana de Witt ?

– Oui. Je l'ai sous les yeux, me suis-je rengorgé.

Il serait toujours temps de lui parler des deux vers manquants plus tard.

– Je suis aussi tombé sur des documents mentionnant la Singularité Ormond, ai-je poursuivi. J'ai hâte de connaître ton avis.

– Sans blague ! Ne me fais pas attendre plus longtemps, mec ! Lis-moi l'Énigme.

– Une seconde !

J'ai attrapé mon sac à dos, sorti le parchemin de son dossier et lu.

L'Énigme Ormond

De huit fueillez ma bele Dame est couronnée
Tout au rond de son parfaict Visage vermeil
Treize larmez de Lune vers l'huis du Souleil
Prendre un tour a dextre sur Champ de Gueulez
Pour le doulx Peché de la Royne,
                                  un devra adjouster
Ainsi descouvers seront le Secret et le Don

Boris m'a écouté en silence avant de lancer :

– Pas évident... Dès que la voie est libre, je viens avec mon ordi. Quoi qu'il arrive, on doit suivre notre objectif : percer le secret de ton père, le DMO, le Dangereux Mystère des Ormond. Donc il nous faut à tout prix décrypter cette énigme.

Il avait raison. Je ne pouvais rien faire de plus pour Gaby à présent qu'elle avait manifesté les premiers signes d'une amélioration. Pour l'instant, je devais me concentrer sur les dessins, la Singularité et l'Énigme Ormond. Toutefois, je n'avais pas très envie de me rendre dès maintenant à Mount Helicon, bien qu'il soit plus important que jamais d'obtenir des renseignements auprès de mon grand-oncle Bartholomé.

– Cal, je retourne travailler sinon ma mère va avoir des doutes. Attends de voir ce que je te prépare, a-t-il annoncé en frappant sur un objet métallique. J'ai baptisé mon invention « Poussière Magique ».

– Poussière Magique ? Qu'est-ce que c'est encore que ce truc ?

– Tu verras, mec, tu n'en reviendras pas.

23 avril
J –253

13:16

Mon vieux chapeau enfoncé sur la tête, je me suis efforcé de prendre un air dégagé en me dirigeant vers la rue commerçante de Greenaway Park où je voulais acheter quelques bricoles. Je n'étais pas sorti du hangar depuis plusieurs jours et j'étais contraint de m'aventurer à l'extérieur pour me réapprovisionner. Je ne pouvais pas attendre plus longtemps la venue de Boris.

En face des boutiques, de l'autre côté de la rue, s'élevait un lycée flambant neuf entouré de vastes terrains de sport et d'arbres sous lesquels des bancs avaient été installés.

Une pointe de tristesse m'a serré le cœur en pensant aux moments de délire que Boris et moi partagions en cours, lorsque nous semions la panique avec ses robots qu'il téléguidait du fond de la classe.

Un groupe d'élèves sortait du lycée. Je les enviais de pouvoir rire et bavarder. Même s'ils étaient enfermés derrière les grilles et les murs à longueur de journée, c'était moi qui me sentais prisonnier. Eux étaient libres : ils ignoraient la peur, l'angoisse de ne pas savoir où dormir chaque soir, où trouver de quoi boire et manger... Ils ne vivaient pas sous la menace constante d'être pourchassés par la police, par Vulkan Sligo, Oriana de Witt et leurs acolytes... Ils étaient libres de mener leur vie.

J'allais les dépasser, détournant la tête, quand j'en ai remarqué un qui me dévisageait.

Je l'ai fixé à mon tour et j'ai été terrassé par le choc ! C'était lui ! Mon sosie ! Celui qui me ressemblait comme deux gouttes d'eau avant que je change d'apparence.

Nos regards se sont croisés l'espace d'une seconde. J'ai ressenti une décharge électrique. Il a vivement saisi le bras d'un de ses copains et il m'a désigné du doigt tandis qu'une expression stupéfaite se peignait sur son visage. Il n'était pas question que je traîne ici plus longtemps. D'autres élèves risquaient de me repérer.

Tête baissée, je me suis enfui loin de la rue commerçante de Greenaway Park, au hasard. J'attendrais la nuit pour rejoindre le hangar à bateaux.

Qui était ce garçon ? Comment pouvait-il autant me ressembler ? Étais-je victime d'hallucinations ? Je savais le cerveau capable de jouer de drôles de tours, j'en avais été le témoin chez mon père. Mais non. J'étais certain de ne pas rêver. Je l'avais bien vu. Il était réel.

Et lui aussi, il m'avait vu…

24 avril
J –252

Hangar à bateaux
Greenaway Park

01:01

Après avoir croisé mon sosie l'après-midi près du lycée, son image m'a hanté. Il faisait nuit depuis longtemps à présent. Incapable de dormir, je ne cessais de me tourner et de me retourner dans mon duvet.

Une idée m'a soudain traversé l'esprit : et si c'était mon double qui avait attaqué Gaby et Ralf ? Mon oncle aurait pu le confondre avec moi ! Tout s'expliquait ! Ralf avait cru qu'il s'agissait de moi, naturellement. Il s'était juste trompé !

Mais pour quelle raison mon sosie voudrait-il assassiner la famille d'un adolescent qui lui ressemblait ?

Mes élucubrations ridicules m'ont donné envie de rire. Ralf n'était pas l'homme que je préférais au monde, loin de là. Il m'avait causé pas mal d'ennuis, d'abord en manquant nous noyer tous les deux dans la baie des Lames, puis en s'appropriant l'enveloppe qui m'était adressée, enfin en prétendant que je lui avais tiré dessus cet affreux jour de janvier.

Le savoir trop proche de ma mère ne m'enchantait pas davantage. En outre, je n'oubliais pas qu'il avait engagé un détective privé pour me retrouver. À cet instant précis, quelqu'un, en ville, tentait de suivre ma trace, posait des questions, traînait dans tous les endroits où j'étais susceptible de me montrer, interrogeait mes camarades de classe…

Subitement, le geste de Ralf essayant d'empêcher ma mère de presser le bouton d'alarme, dans l'unité de soins intensifs, m'est revenu en mémoire. Il avait agi ainsi pour me permettre de m'échapper.

01:20

Je me sentais terriblement seul. En dehors de Boris, je ne pouvais compter sur personne. Et même lui me faisait faux bond ces temps-ci.

J'ai repensé brièvement à Winter, à son comportement étrange. Tantôt je croyais voir en elle une alliée, tantôt j'étais convaincu qu'elle n'était qu'une traîtresse. Heureusement, j'avais tout de même rencontré des gens sympathiques et fiables : Clark Drysdale et Melba Snipe, par exemple.

Griff aussi s'était révélé un chic type.

Et puis, il y avait Dep le Dépravé. Je me demandais ce qu'il devenait. J'avais dépensé tout l'argent que j'avais mis de côté pour lui. J'espérais qu'il avait échappé aux hommes de main d'Oriana de Witt grâce à ses dons pour les arts martiaux, et qu'il allait bien.

Certains jours, je débordais d'enthousiasme et d'impatience à l'idée de poursuivre ma quête de la vérité. D'autres fois, comme cette nuit, mon moral était au plus bas. Mon père me manquait, ma mère et Gaby aussi. Mon ancienne vie, lorsque nous formions encore une famille tous les quatre, me semblait à des années-lumière.

25 avril
J –251

Memorial Park

05:45

Ce ne sont pas seulement la solitude et la détresse morale qui m'ont poussé à retourner à Richmond. Je venais de passer une nuit de plus à m'agiter sans trouver le sommeil. L'image de l'ange sur le vitrail m'était revenue à l'esprit et ne cessait de me hanter.

Je me suis senti étrangement anonyme et en sécurité dans l'aube grise de Memorial Park, à quelques mètres du mausolée. Une bruine légère dessinait des halos autour des réverbères du parc. Un détail m'avait peut-être échappé, me disais-je. Un élément qui me fournirait un indice susceptible de m'aider à résoudre l'Énigme Ormond.

Je me suis demandé si mon père avait jamais vu cet ange.

S'il avait été au courant de son existence, c'est ici, en Australie, qu'il aurait commencé son enquête, plutôt qu'en Irlande. Et si ça avait été le cas, peut-être serait-il toujours en vie aujourd'hui.

Mausolée
Memorial Park

06:10

Le soleil ne s'était pas encore levé. Cependant, un couple bavardait tranquillement sur les marches, devant les portes rouillées. En le dépassant pour entrer, je me suis rendu compte que quelqu'un se trouvait déjà à l'intérieur du monument.

En tenue de jogging, l'homme me tournait le dos. Il contemplait l'ange.

J'allais m'avancer derrière lui lorsque je l'ai reconnu.

Il a dû sentir ma présence car il a pivoté brusquement.

C'était Ralf !

– Cal ! Qu'est-ce que tu fais ici ? s'est-il exclamé, sidéré.

Il s'est approché de moi avec lenteur. La forte pénombre qui régnait à l'intérieur du mausolée ne me permettait pas du tout de distinguer l'expression de son visage, toutefois j'ai remarqué qu'il venait de sortir un portable de sa poche.

– Comment sais-tu que c'est moi ? Je pourrais être l'autre, on se ressemble comme deux gouttes d'eau.

Mon oncle m'a jeté un regard inquiet avant de me lancer :

– Qu'est-ce que tu racontes, Cal ? Tu te sens bien ? Je ne comprends pas un traître mot de ce que tu dis, fiston. Pourquoi es-tu venu ici, au mausolée ?

– Et toi, Ralf ? Pourquoi tu t'intéresses à l'ange Ormond ?

– À lui ? a-t-il demandé avec un geste en direction du vitrail. J'ai appris récemment son existence. J'y jetais un œil en faisant mon jogging dans le parc. Pourquoi, Cal ?

– Qui t'en a parlé ?

– Pourquoi affirmais-tu qu'il y a quelqu'un d'autre, Cal ? Et que vous vous ressemblez comme deux gouttes d'eau ? D'où te vient cette idée saugrenue ?

Le visage de mon oncle était impassible, cependant je voyais bien qu'il se tenait sur ses gardes. J'avais l'impression qu'il se sentait menacé.

Il a ouvert son téléphone.

– Qui appelles-tu ? ai-je crié tandis qu'il composait un numéro et portait l'appareil à son oreille.

– Ta mère, bien sûr. Maintenant que je t'ai trouvé, tu rentres à la maison avec moi. Tu dois t'expliquer.

– Pas question, ai-je rétorqué en imaginant déjà mon interrogatoire au commissariat de police. J'ai d'autres plans.

Ralf a allongé le bras pour me retenir.

– Je t'en prie, Cal. Sois raisonnable.

– Dis à maman que je l'aime, ai-je crié en me sauvant à toutes jambes.

Je l'ai entendu hurler mon nom derrière moi tandis que je m'éloignais, ma capuche rabattue sur la tête.

Il s'est élancé à ma poursuite. Au bout de quelques secondes, d'autres gens se sont joints à lui en vociférant :

– C'est lui ! C'est l'ado-psycho ! Appelez la police !

Que faire ? Je courais plus vite qu'eux et je n'aurais aucun mal à les semer, mais la police n'allait pas tarder à boucler le quartier. J'étais trop éloigné du hangar à bateaux pour m'y réfugier. Et je n'avais même pas mon sac à dos !

Peu à peu les cris se sont estompés. Mes poursuivants perdaient du terrain. Je devais cependant rester hors de vue. Repérer un endroit où me cacher jusqu'à ce que le calme revienne.

Ma course effrénée m'avait mené aux entrepôts de chemin de fer. J'ai continué sur ma lancée jusqu'à la clôture entourant les bâtiments désaffectés.

Non loin se dressaient trois vieilles armoires métalliques contre une paroi rocheuse...

Le repaire de Dep

06:53

J'ai cogné sur l'armoire du milieu.

– Dep! Dep! Ouvrez! C'est moi! Cal!

Je percevais déjà le hululement des sirènes de police.

J'ai cogné plus fort.

– S'il vous plaît, Dep! Laissez-moi entrer! J'ai des ennuis...

Puis je me suis repris:

– J'ai votre argent!

Le fond du meuble s'est ouvert brusquement; j'ai trébuché en avant. Il s'est refermé avec la même violence.

Dep m'a rattrapé par le bras, m'évitant de m'affaler par terre. À bout de souffle, je me suis effondré sur une chaise bancale où j'ai attendu, plié en deux, que ma respiration reprenne un rythme normal.

– Allez, grouille! a lancé Dep en se dandinant avec souplesse et vivacité.

Il a défroissé la veste de son costume vert avant de se frotter les mains l'une contre l'autre.

– Rassure-moi, tu ne m'as pas réveillé pour rien?

J'avais oublié qu'il était si tôt.

– Oh, je suis désolé.

– Respire calmement, je vais te chercher de l'eau.

Il s'est dirigé vers l'évier.

J'ai bu avec reconnaissance le verre qu'il me tendait. Il s'est assis à sa table envahie par un fatras d'objets puis a fixé sur moi ses yeux d'opossum.

– Bien, passons aux choses sérieuses. Où est mon argent?

Enfin capable de me redresser, j'ai avalé les dernières gouttes d'eau. Je ne ressentais plus de brûlure dans les muscles de mes jambes, les battements de mon cœur s'apaisaient.

– Voilà, Dep. En fait, je me trouve dans une situation comparable à votre championnat d'arts martiaux à Singapour.

Dep a froncé les sourcils.

– Je ne l'ai pas gagné, ce championnat.

– Justement. Vous m'avez dit que, *si* vous y aviez participé, vous l'auriez remporté.

– Ce qui veut dire?

– Ce qui veut dire que j'ai eu votre argent entre les mains… seulement je l'ai dépensé.

J'ai vu ses sourcils se rapprocher, ses joues se creuser, sa bouche se pincer. La colère luisait dans ses yeux. Je me suis préparé au pire.

Mais il n'est rien arrivé de tel. Son visage s'est détendu. La tête rejetée en arrière, il a éclaté de rire.

– Quel sac d'embrouilles! Tu n'as pas froid aux yeux! Une situation comparable à mon championnat d'arts martiaux, hein?

Il a cessé de rire et s'est approché de moi, à nouveau sérieux.

– Est-ce que tu as un peu d'argent, au moins, mon garçon?

– Pas vraiment. Toutefois j'ai la ferme intention de vous payer pour le service que vous m'avez rendu. J'ai été pris de court, voilà tout. Vous m'avez tiré d'affaire chez Oriana de Witt, l'autre jour. J'ai pu me sauver par la fenêtre pendant que vous vous battiez contre ce larbin maigrichon de Kevin. À propos, comment s'est terminée la bagarre?

– J'ignore par quel miracle il a réussi à me déséquilibrer. Il cherchait à m'assommer quand je lui ai balancé en même temps un coup de pied et un coup de tête. C'est ma technique spéciale. Je l'ai mise au point quand j'étais en... Bref, peu importe, l'essentiel c'est qu'il a été obligé de relâcher son étreinte. J'en ai profité pour lui échapper et filer par la fenêtre. Ha! Ha! Il était fou de rage!

Tout en parlant, Dep mimait la scène. Dans le feu de l'action, il a renversé deux piles d'objets de sa collection.

À cet instant, un bruit m'a fait sursauter.

– Qu'est-ce que c'est ? ai-je soufflé.

Figés, nous avons concentré toute notre attention sur le monde extérieur. J'ai distingué un vrombissement d'hélicoptère et des hurlements de sirènes tout proches. Des gens couraient de l'autre côté de la porte secrète. S'ils en décelaient le mécanisme, nous étions fichus. Une fois de plus, ma présence mettait Dep en danger.

Les pas se sont éloignés.

Quelques minutes plus tard, le calme est enfin revenu.

– Vous m'avez dit qu'il existait un autre moyen d'accéder à votre repaire, ai-je rappelé à Dep.

Il a secoué la tête.

– C'est trop dangereux. Beaucoup trop dangereux.

– Quel est le problème ?

Dep a écarté une bibliothèque du mur du fond.

– Regarde toi-même.

En déplaçant le meuble, il venait de dégager l'entrée d'un souterrain, guère plus large que le foyer d'une petite cheminée. J'ai jeté un œil à l'intérieur. L'obscurité était totale.

– Je n'y vois rien.

Dep a remis la bibliothèque en place.

– Parce que l'issue est bouchée. Il y a déjà eu des chutes de pierres. Le tunnel n'a jamais été achevé. Les travaux ont été abandonnés. C'est pour cette raison que je préfère ne pas l'utiliser.

Changeant de sujet et revenant au récit de ses exploits chez Oriana de Witt, il a ajouté :

– Bref, j'ai offert à ce Kevin une pure démonstration de stratégie. Tu connais *L'Art de la guerre* de Sun Tzu, ce grand général de la Chine ancienne ?

J'ai dû admettre que je n'en avais jamais entendu parler.

– J'ai tiré beaucoup de leçons de son enseignement, autant que de mon apprentissage des arts martiaux et du combat de rue. L'un de ses préceptes s'est révélé d'une efficacité parfaite avec ce clown surexcité !

Il a gloussé puis récité :

– « Si l'ennemi est obstiné et enclin à la colère, rendez-le encore plus furieux. » Alors juste avant de disparaître par la fenêtre, je l'ai insulté et me suis moqué de lui !

Dep s'est accroupi en faisant une grimace ridicule, agitant les doigts autour de ses tempes.

J'ai acquiescé avec un sourire. Si un individu est d'un naturel colérique, la moindre provocation l'enflamme davantage et le pousse à commettre des erreurs.

– Il s'est précipité sur moi, ivre de rage, avide de poser ses vilaines pattes sur moi. Mais je l'ai esquivé en sautant dans l'arbre et cet imbécile, lui, a plongé par la fenêtre ! Accroché à une branche du pin, je l'ai observé avec un certain plaisir traverser le toit de la remise du jardin puis s'écraser sur le sol. Pendant qu'il gémissait et se tordait de douleur au milieu des débris de pots de fleurs, j'ai emprunté un chemin plus raisonnable que le sien, me laissant glisser le long de la gouttière. Je suis rentré ici sain et sauf, bien avant que ce pauvre idiot ait réussi à se remettre d'aplomb !

– Impressionnant, ai-je conclu.

Et je le pensais sincèrement.

10:01

J'ai mis Dep au courant de mes aventures depuis notre dernière rencontre. Je lui ai à nouveau promis de le dédommager pour l'aide précieuse qu'il m'avait apportée en me débarrassant des hommes de main d'Oriana de Witt, ce jour-là.

Il m'a jeté un regard rusé :

– Tu dois être sur un coup énorme pour avoir tous ces types à tes trousses. Sans parler de Vulkan Sligo. J'imagine qu'il y a un sacré paquet à la clé.

– À condition que je survive, me suis-je empressé de dire en me levant, prêt à partir. Merci de m'avoir caché et désolé pour le mensonge, Dep. Une fois de plus vous m'avez sauvé.

– Un jour, qui sait, tu seras riche, Cal Ormond. Ce jour-là, ne m'oublie pas.

Il avait un large sourire et ses yeux d'opossum brillaient de malice quand je me suis faufilé hors de son repaire par la porte secrète.

26 avril
J –250

Hangar à bateaux
Greenaway Park

22:32

———————————————————

La chance m'a souri : de retour au hangar, j'ai plongé une ligne dans l'eau et deux perches ont mordu à l'hameçon.

Une vieille gamelle en fer toute bosselée m'a servi de poêle à frire pour griller mes poissons sur un feu de camp, dehors, juste à côté de la baraque.

Comme le bois était bien sec, seule une légère fumée s'en échappait.

En attendant que mon repas soit cuit, j'ai réfléchi à ma rencontre avec Ralf au mausolée de Memorial Park.

J'ai également repensé au discours étrange de ma mère, à l'hôpital. Elle avait parlé de quelque chose qui s'était produit quand j'étais petit... Qu'entendait-elle par là?

J'ignorais même si j'étais directement concerné ou s'il s'agissait d'un autre membre de ma famille.

Que s'était-il passé de terrible dans mon enfance? Un cambriolage? Un incendie? Un accident de voiture?

À quoi faisait-elle allusion?

J'avais déduit au ton de sa voix qu'elle estimait cet événement responsable de ma folie et, par conséquent, de mon agression contre mon oncle et ma sœur. M'avait-elle laissé tomber à terre et en avais-je gardé des séquelles? Était-ce la raison pour laquelle j'avais une fâcheuse tendance à faire toujours le même cauchemar?

J'ai rapporté les poissons grillés à l'intérieur et je les ai mangés à même la poêle. Ils avaient bon goût, seulement mon estomac restait noué par l'incertitude.

J'avais besoin de trouver des réponses, et vite. Il y avait trop de secrets dans ma famille. Le mystère découvert par mon père en Irlande étendait sur moi son ombre immense et inquiétante. Ralf me cachait quelque chose, lui aussi : que savait-il au sujet de l'ange Ormond?

Comme l'avait dit Dep, il s'agissait sûrement d'une affaire « énorme ». Les paroles de ma mère m'intriguaient de plus en plus. Elles suggéraient que cette ombre menaçante avait toujours plané au-dessus de ma tête, depuis mon plus jeune âge. Elle, et peut-être Ralf, semblaient connaître à mon sujet un fait essentiel que j'ignorais...

28 avril
J –248

19:21

📱 Si tt va bi1, jvi1 2m1 mat1.

📱 Gnial ! A2m1. Fégaf. Te fé pa rePré o bor 2 lo.

📱 OK. A+. PréC voir énigm.

29 avril
J –247

J'essuyais la poussière du banc devant l'établi du hangar en attendant Boris quand mon portable a sonné. J'ai tout de suite reconnu la voix de mon interlocutrice.

– Salut, Cal. Alors, toujours de ce monde?

Certains chocs peuvent être agréables. Winter venait de m'en causer un.

– Salut, je pensais justement à toi, l'autre jour.

– Super. Enfin, j'espère! Tout dépend de ce que tu pensais...

– Oui. Bien sûr...

Je ne pouvais pas lui dévoiler la nature exacte de mes réflexions et lui avouer que je n'avais pas totalement confiance en elle.

Je me suis quand même risqué à demander :

– Tu veux savoir ce que je pensais de toi l'autre jour ? Ou ce que je pense en ce moment ?

Je me suis tu. Je me conduisais comme un véritable imbécile.

Quand Winter s'est esclaffée, ma réaction m'a surpris : je me sentais à la fois embarrassé et prêt à éclater de rire avec elle.

– Je ne suis pas certaine d'avoir suivi ton raisonnement, a-t-elle déclaré. Si je te disais plutôt ce que je pense, *moi* ?

– OK, je t'écoute.

– En fait je vais commencer par ce que je ne pense pas. Je ne pense pas que tu aurais laissé un homme se noyer dans une rivière.

– Tu as raison. Je n'ai rien fait de tel.

– Je ne pense pas non plus que tu sois allé à l'hôpital dans l'intention d'agresser ta sœur.

– Là encore, tu as raison.

J'étais soulagé : quelqu'un d'autre que Boris affirmait que j'étais incapable d'agresser qui que ce soit. Et en particulier ma petite sœur !

Toutefois j'éprouvais un certain malaise : mon ami ne tarderait pas à arriver au hangar et il se méfiait de Winter. Pourtant, c'était une fille remarquable à sa façon et elle pouvait nous aider à résoudre l'Énigme Ormond.

– Où es-tu actuellement ? a-t-elle poursuivi. Si tu m'invitais, je pourrais te rejoindre. On mangerait un morceau, on discuterait, on écouterait de la musique. On passerait un moment tous les deux, quoi. Sligo n'est pas dans le coin aujourd'hui. Qu'en penses-tu ?

J'ai hésité une seconde avant de répondre :

– J'ai trouvé une nouvelle planque. Un vieux hangar à bateaux désaffecté. À mon avis, personne ne s'en est approché depuis des années. À part moi.

Winter a noté l'adresse puis je lui ai décrit l'emplacement du hangar. Je lui ai répété les mêmes recommandations qu'à Boris : être aussi prudent que possible afin de ne pas être repérée. Elvire, ma voisine âgée, ne devait s'apercevoir sous aucun prétexte que son hangar à bateaux abritait de nouveaux occupants.

– Tu viens quand, alors ? me suis-je enquis d'une voix hésitante.

– Bientôt ! a-t-elle lancé avant de raccrocher.

Décidément, elle restait un mystère à mes yeux. Peut-être qu'elle m'aimait bien. Peut-être pas. J'aurais tant voulu lui faire confiance, mais je n'avais qu'une certitude à son sujet : elle m'embrouillait systématiquement l'esprit.

09:31

J'ai entendu un léger bruit dehors. Un coup d'œil prudent à travers la vitre poussiéreuse de la fenêtre m'a rassuré. J'ai ouvert la porte.

– Boris ! me suis-je exclamé, heureux de revoir enfin mon ami.

– Cool, l'endroit, mec ! a-t-il déclaré en désignant le paysage. Tu t'es dégoté une villa au fil de l'eau, rien que ça !

Il s'est avancé à l'intérieur du hangar, a tourné un robinet et aperçu l'étendue d'eau sombre qui clapotait un peu plus loin.

– Oh, quel luxe ! Tu disposes même d'une piscine intérieure ! Ça fait bizarre de se retrouver au bord de cette rivière, après toutes ces années.

Il m'avait apporté des tonnes de provisions : soupes en boîte, pain, jambon, biscuits, fruits secs, barres de céréales, chips, eau en bouteille et plusieurs tablettes de chocolat. Enfin, du fond de son sac, il a tiré une petite plaque de cuisson électrique. Il l'avait récupérée dans la rue.

– Je n'ai eu qu'à bricoler un peu les fils, a-t-il expliqué avec fierté en la posant sur une étagère, après avoir repoussé les bocaux d'hameçons et les moulinets poussiéreux. Elle fonctionne parfaitement.

Il l'a allumée pour exécuter une rapide démonstration. Très vite, la résistance en spirale a viré au rouge.

– C'est génial, Boris. L'autre soir, je me suis fait griller du poisson sur un feu de bois, mais c'était risqué à cause de la fumée. Comment pourrai-je te remercier ?

– Flippe pas, s'est-il esclaffé. J'ai quelques dizaines de projets en tête pour lesquels j'aurai besoin de ton aide. Repeindre le plafond chez moi, par exemple. Son état est beaucoup plus déplorable que celui-ci!

– Quand j'aurai résolu l'Énigme Ormond et découvert le secret de mon père, peut-être deviendrai-je riche et célèbre? Si c'est le cas, je t'offrirai les services d'un peintre professionnel! Et d'un architecte d'intérieur!

– Qui sait! Maintenant, mon cher ami, auriez-vous l'amabilité de me montrer cette fameuse Énigme?

Avec la plus grande précaution, j'ai extrait le parchemin du dossier rangé dans mon sac à dos et je le lui ai tendu. Boris avait déjà en main son stylo et son petit carnet noir à élastique tout écorné.

– Alors, la voilà, l'Énigme Ormond, l'unique, la vraie, l'authentique! a-t-il soufflé en se grattant la tête.

Je l'ai écouté la lire à haute voix. Il a relevé les yeux et soupiré:

– Pour l'instant... je n'y comprends pas grand-chose. Et toi? Une idée lumineuse?

– Pas vraiment. En tout cas, ce texte comporte six vers au lieu de huit. Regarde: le bas de la feuille a été découpé.

Boris a étudié le parchemin plus attentivement. Il a froncé les sourcils.

– Tu as raison. Pas de doute: quelqu'un a escamoté les deux derniers vers. Ça ne va pas nous faciliter la tâche. Mais j'imagine que c'était le but. Ah, il y a quand même, là, un mot que je connais, mec. « Gueulez ». Ça se prononce « gueule ». Ça veut dire « rouge » en héraldique, a-t-il dit tout en gribouillant dans son carnet.

– Désolé, mais je ne parle pas l'héraldique.

– L'héraldique est la science des blasons et, si je ne m'abuse, il y a du rouge sur le blason des Ormond.

– Il existe un blason des Ormond ?

Boris a fait défiler les photos archivées sur son téléphone.

– Tiens. Regarde. Le voilà. Je l'ai récupéré sur le Net. Il pourra nous être utile.

Le blason était divisé en quatre quartiers, les quartiers diagonalement opposés étant identiques. Sur les quartiers supérieur droit et inférieur gauche, de couleur rouge, se détachaient de drôles d'objets qui avaient des allures d'œufs à la coque.

– Incroyable ! ai-je soufflé. Alors « Gueulez » pourrait désigner le fond rouge de ces quartiers. Parfait, déchiffrons le reste.

Boris a reporté son attention sur l'Énigme qu'il a relue lentement.

– Je sens qu'on va devoir solliciter toute la puissance de mon cerveau exceptionnel, a-t-il soupiré en glissant le carnet dans sa poche. Bon, revenons aux dessins. Si on parvient à établir un lien entre eux et l'Énigme, on pourra les étudier en parallèle et peut-être comprendre leur signification. Quoi qu'il en soit, il est urgent que j'alimente mes cellules cérébrales et mes neurones. Tu me passes un carré de chocolat, s'il te plaît ?

Je lui ai lancé une tablette dont il a déchiré l'emballage d'un coup de dents avant d'en engloutir une bonne moitié. Il m'a laissé l'autre.

Tandis que Boris examinait les dessins, je lui ai raconté toutes mes mésaventures, mes rencontres, absolument tout ce qui m'était arrivé depuis la dernière fois qu'on s'était vus, y compris mon voyage dans le coffre de la voiture de Mrs Snipe.

– C'est une maladie chez toi, de voyager au fond du coffre des voitures des dames ? a plaisanté Boris en souriant.

J'ai levé les yeux du dernier dessin. J'hésitais à poursuivre mon récit, de peur qu'il ne pense que j'étais devenu complètement dingue. Cependant, il fallait qu'il sache.

– Boris, je l'ai revu. Mon sosie.

– Où ?

– Pas très loin d'ici. J'allais faire des courses, lui sortait du lycée de Greenaway Park. On s'est dévisagés. Mais je me suis sauvé en vitesse quand il m'a désigné à un de ses amis. Il paraissait aussi choqué que moi.

Boris m'a regardé fixement sans un mot.

– Je t'assure, vieux, c'était lui.

– Tu es en train de me raconter que tu as revu un ado qui est ton portrait craché ?

– Il est plus costaud que moi, et il a l'air... en meilleure santé.

– Et il n'arrête pas d'apparaître à l'improviste!

– Écoute, Boris. À mon avis, lui aussi transforme son apparence. Il ne doit pas avoir très envie de ressembler au fugitif le plus recherché de l'État! Il sait forcément que son visage rappelle celui de l'ado-psycho. Les gens lui en font sans doute la remarque.

J'ai confié à Boris ma théorie: Gaby et Ralf avaient été attaqués par mon sosie et avaient cru avoir affaire à moi.

Boris a réfléchi puis déclaré d'un ton assez peu convaincu:

– Je ne vois pas pourquoi un adolescent qui t'est totalement inconnu aurait agi ainsi. Votre ressemblance ne prouve rien. Il faut avoir un mobile pour agresser quelqu'un.

– Peut-être en a-t-il un! Enfin, si c'est lui le coupable. Simplement, on ne le connaît pas.

– Ce serait un incroyable concours de circonstances, Cal, a-t-il conclu d'un ton sans réplique avant de se pencher à nouveau sur les dessins.

Un peu plus tard, même Boris, avec son cerveau habituellement bouillonnant d'idées, a été contraint d'admettre sa défaite. Il ne trouvait aucun lien convaincant entre l'Énigme et les dessins. De lassitude, il a jeté son stylo.

– Je n'y comprends rien. Je vais emporter le texte à la maison pour travailler dessus à tête reposée.

Il a pris le parchemin en photo.

– Bon, a-t-il ajouté en ouvrant son ordinateur portable et en tournant l'écran vers moi, si on s'occupait de ton blog ?

J'ai tapé mon message tandis que Boris inspectait minutieusement le hangar.

Nouveau_document.txt　　○⊗⊗

On a prétendu que j'avais laissé un homme se noyer dans une rivière, après un accident au cours duquel notre véhicule avait été éjecté de la route par un autre. *C'est un mensonge odieux.* J'ai attendu, pour quitter le lieu du drame, que la victime soit secourue par un policier. Ce dernier avait déjà appelé une ambulance. Je ne pouvais rien faire de plus.

On m'accuse à nouveau d'avoir agressé ma petite sœur, cette fois à l'hôpital. *Il s'agit, là aussi, d'un mensonge détestable.* Les médecins s'apprêtaient à débrancher le respirateur artificiel qui la maintenait en vie. Je devais à tout prix intervenir afin de les en empêcher. À ceux qui pensent que je suis forcément coupable puisque je ne me rends pas, je répète que je suis innocent ! Je continue à fuir parce que ma famille est en danger et que je dois rester libre pour la protéger ! J'ai été victime de plusieurs tentatives d'assassinat. Néanmoins, je suis plus que jamais décidé à prouver mon innocence et je ferai tout pour que la vérité éclate au grand jour.

J'ai lu à Boris ce que j'avais écrit. Il a hoché la tête.

– Ton texte me paraît super. Je le téléchargerai dans le premier cybercafé que je trouverai. Tu comprends, je préfère qu'on n'en découvre pas la trace chez moi.

– Merci, Boris. Eh, à propos, tu avais promis de me parler de ta toute nouvelle invention : la Poussière Magique !

Un large sourire a éclairé son visage.

– Ah ah ! Elle n'est pas encore tout à fait au point mais je suis sur la bonne voie. Je crois que cette poussière pourrait dépanner un fugitif dans ton genre. Je ne t'en dirai pas plus. Mon premier test s'est révélé un franc succès, même si ma mère m'a interdit de recommencer l'expérience à l'intérieur de la maison... On a eu un petit souci avec les pompiers.

Boris avait attisé ma curiosité.

– Allez, raconte ! l'ai-je supplié.

Il a secoué la tête avec un air malicieux.

– Chaque chose en son temps. Ressors donc l'Énigme, qu'on la...

– Chut, ai-je soufflé en percevant un léger bruit dehors.

Aplati contre le mur, je me suis faufilé jusqu'à la fenêtre pour jeter un coup d'œil à l'extérieur.

Debout au bord de l'eau, Winter observait le hangar, les sourcils froncés, les yeux plus sombres que jamais. Des éclats noir et rouge luisaient dans ses cheveux.

Les bracelets d'argent qu'elle portait aux poignets se sont entrechoqués lorsqu'elle a changé son sac d'épaule et posé une main sur sa hanche. Puis elle s'est approchée discrètement de la fenêtre et a frappé au carreau.

Sans prêter la moindre attention au grognement rageur de Boris, je lui ai ouvert la porte. Faisant pénétrer avec elle une bouffée d'air frais, elle s'est faufilée à l'intérieur.

Boris a aussitôt entrepris de rassembler d'un geste furieux l'Énigme et les dessins éparpillés un peu partout.

– Tu cherches les ennuis, ma parole ? a-t-il grommelé à mon intention.

– J'ai quelque chose de très important à te dire, m'a annoncé Winter.

Puis devinant ce que faisait Boris, elle s'est précipitée vers lui.

– Eh mais c'est un nouveau document ! Fais voir !

Boris a hésité. Absolument fascinée, Winter a soulevé le parchemin de l'Énigme avec délicatesse.

– Ouah ! Magnifique !

175

Boris m'a regardé, puis il a regardé Winter. Il semblait tendu. La frustration se lisait dans ses yeux. Ses lèvres serrées et les deux plis barrant son front indiquaient une profonde inquiétude et une désapprobation totale.

– Je n'en avais jamais vu, a-t-elle dit en caressant du bout des doigts l'étrange matériau sur lequel l'Énigme avait été inscrite. J'en ai lu des descriptions mais c'est la première fois que je touche du vélin.

– Du vélin ? ai-je répété.

– De la peau de veau mort-né, a complété Boris. Avant, on l'utilisait pour rédiger les documents les plus précieux.

Comme il était tourné vers moi, Winter en a profité pour lui adresser une grimace avant de parcourir le texte.

– C'est beau, a-t-elle murmuré, très impressionnée. Cette Énigme porte ton nom ! Comme l'ange Ormond.

L'enthousiasme faisait briller ses yeux.

– Où as-tu trouvé ce parchemin ?

– Occupe-toi de tes affaires, a aboyé Boris.

– Toujours aussi charmant, à ce que je vois, a-t-elle rétorqué sur le même ton.

– Euh… je l'ai emprunté à la personne qui le détenait, ai-je vaguement expliqué.

– Qui est-ce ?

La conversation devenait délicate. Je répugnais à lui mentir.

– Une personne experte en droit qui... qui s'intéresse à ma famille.

Je ne m'en tirais pas si mal pour évoquer à mots couverts Oriana de Witt.

– Quel cachottier tu fais, Cal ! Peu importe. Je finirai par découvrir la vérité. Les secrets sont ma spécialité.

– Ça, ce n'est un secret pour personne, a marmonné Boris.

Winter l'a toisé avant de reposer l'Énigme avec précaution, comme s'il s'agissait d'une relique. Puis elle a plongé la main dans son sac et en a sorti des biscuits au chocolat.

– Personne ne m'offre à boire ? s'est-elle étonnée en souriant.

11:12

Je sentais Boris de plus en plus exaspéré par la présence de Winter. Il ne disait rien depuis un moment, lui si bavard d'habitude. Il me jetait des regards mauvais qui semblaient signifier : « Qu'est-ce qu'elle fait ici ? Quand va-t-elle partir ? »

Winter a siroté un verre d'eau, la seule boisson disponible au bar du hangar !

– Je ne comprends pas pourquoi tu tiens tant à me cacher la vérité, a-t-elle lancé à Boris, comme si elle voulait le convaincre de lui faire confiance. Sans moi, Cal n'aurait pas encore trouvé l'ange de Memorial Park. Et je peux continuer à l'aider, tu sais.

Assis par terre, Boris grattait avec un bâton la saleté qui recouvrait le sol.

Winter se tenait à côté de la porte.

– J'adore les énigmes, a-t-elle poursuivi. Je suis très douée pour percer les secrets et je devine toujours quand on me ment.

– Mais oui, tu es très douée. Surtout pour raconter des mensonges, a grommelé Boris.

– Pas la peine de marmonner, j'ai entendu !

– Tant mieux ! Tu as informé ton patron de tes déplacements aujourd'hui ?

– Je n'ai pas de patron, pauvre mec !

Elle avait jeté « pauvre mec » sur un ton de mépris absolu.

– Si tu considères que Vulkan Sligo est un type fréquentable, pas moi ! a repris mon ami.

Mal à l'aise, j'ai tenté de les calmer :

– Écoute, Boris, tu ne connais pas les intentions de Winter.

– Je n'en suis pas si sûr… Je te parie que Sligo est déjà en route. Ou, au moins, ses hommes de main.

– Tu ne comprends vraiment rien ! a répliqué Winter. Cal sait, lui, qu'il peut me faire confiance. Et je me fiche de ce que tu penses, toi.

Impatient de changer de sujet, j'ai lancé :

– Bref. Quand tu es arrivée, j'étais en train de raconter à Boris que j'ai de nouveau croisé cet ado, celui qui pourrait être mon jumeau tant notre ressemblance est frappante…

– Tu as rencontré ton sosie ? m'a interrompu Winter, l'air soudain préoccupée.

J'ai acquiescé.

– Il sortait du lycée de Greenaway Park.

Winter était devenue très pâle. Comme si mes paroles l'avaient troublée.

– Qu'est-ce que tu as ? lui ai-je demandé, déboussolé. Pourquoi tu t'inquiètes ? C'est moi le dingue qui voit son sosie partout !

– Pour être dingue, tu l'es ! a râlé Boris en ramassant son sac. Seul un authentique cinglé n'hésite pas une seconde à révéler des informations essentielles à une alliée de Sligo.

Il a pivoté brusquement pour défier Winter.

– Toi, tu ferais mieux de décamper et de laisser Cal tranquille !

– Je veux juste l'aider ! a-t-elle riposté. Et d'abord tu ignores tout de moi !

Ils s'affrontaient du regard comme deux ennemis mortels.

– OK, OK, on se calme, ai-je dit. Boris, je pense que toute aide est utile pour déchiffrer ce bout de parchemin.

J'ai désigné l'Énigme.

– C'est dans ce but qu'on est réunis tous les trois : pour la résoudre.

Boris a grogné tandis que Winter hochait la tête en signe d'approbation.

– Bon, pour l'instant, nous séchons lamentablement. Et toi Winter, quelle est ton opinion ?

Elle a tendu le bras devant Boris pour la prendre. J'ai entrevu l'oiseau tatoué à l'intérieur de son poignet. Il m'a fait penser à son médaillon en forme de cœur avec l'inscription « Petit Oiseau » au dos. Elle le portait certainement autour du cou.

– Tu ne vois donc pas ce qu'elle trafique ? s'est interposé Boris avant que Winter se soit emparée du parchemin. Elle va tout raconter à Sligo. Il saura qu'on possède l'Énigme et rien ne l'arrêtera jusqu'à ce qu'il l'ait récupérée.

– J'ai déjà expliqué quelle était la nature de mes relations avec Vulkan Sligo. Je n'ai pas l'intention de l'aider et je n'approuve pas ses combines, a soupiré Winter. Mais je ne peux pas me justifier sans cesse.

Puis, s'adressant à moi, elle a ajouté :

– Ton ami a décidé de me détester une fois pour toutes.

– De me méfier de toi, plutôt, a rectifié Boris d'un ton sec.

– Mettez-vous d'accord : vous voulez que je vous aide, oui ou non ?

Boris a haussé les épaules comme si soudain son opinion n'avait plus d'importance et il a tendu l'Énigme à Winter. Elle l'a lue en silence.

– Quelqu'un a coupé ce parchemin, a-t-elle remarqué en désignant le bord inférieur du vélin.

– Oui, il manque les deux derniers vers.

– Cela va nous compliquer la tâche : dans la plupart des cas, la solution est incluse dans ces derniers vers.

Elle s'est replongée dans l'analyse du texte.

– On dirait une énigme chiffrée, a-t-elle conclu. Regardez : huit, treize, un. Et en bas, il est encore mentionné « un devra adjouster », c'est-à-dire qu'il faut ajouter un.

J'ai parcouru à nouveau le parchemin.

– L'orthographe est bizarre, non ?

– À l'époque, les règles n'étaient pas les mêmes qu'aujourd'hui, a précisé Boris.

– Tu crois qu'il faut additionner les chiffres ? ai-je suggéré en effectuant un rapide calcul. Ça donnerait un total de vingt-deux.

– Super, a ironisé Boris. Et après ?

Il refusait d'admettre que Winter pourrait nous apporter une aide quelconque.

– Toutes les hypothèses sont intéressantes, Boris. Tu l'as dit toi-même.

– Ce singe me rappelle quelque chose, a remarqué Winter.

Elle désignait le dessin par terre.

– J'ai l'impression de l'avoir déjà vu.

– Je suppose que tu vas emmener Cal dans un parc pour lui montrer un monument élevé à la mémoire des singes morts au combat.

J'ai poussé un gémissement. Ils n'arrêteraient donc jamais de se chamailler ! À ma grande surprise, Winter a éclaté de rire.

J'ai jeté un coup d'œil à Boris. J'aurais juré qu'il réprimait un sourire.

Winter a longuement passé en revue les dessins et déclaré :

– Il faut associer un mot de l'Énigme à chacun d'eux.

– Comment ça ? me suis-je étonné.

– Réfléchis. Tu te souviens du dessin de l'ange ? Je t'ai emmené au mausolée, et l'ange s'y trouvait. Comme si le dessin t'indiquait l'élément à découvrir…

– Un ange, ai-je complété.

J'ai ramassé le dessin du singe.

– Donc, il faudrait chercher un singe ? Un enfant avec une fleur ? Et ce vieux Romain ?

– Exact. Et un sphinx aussi…

Elle s'est tue avant de reprendre :

– … à moins qu'il ne fasse tout simplement allusion à l'Énigme.

J'ai observé Boris. Même lui semblait impressionné. Winter établissait des liens entre les différents indices à une rapidité incroyable.

– Tu as entendu parler de l'énigme du sphinx ?

– Il suffit d'avoir étudié un minimum l'histoire de la Grèce antique pour la connaître. En tout cas, tu devrais aussi chercher un maître d'hôtel avec un black-jack.

– Un maître d'hôtel ? Je croyais qu'il s'agissait d'un serveur.

Elle a haussé les épaules.

– Pour moi, il ressemble plutôt à un maître d'hôtel. Enfin, maître d'hôtel ou serveur, peu importe. Creuse cette piste.

– Pourquoi le singe te paraît-il familier?

– Peut-être à cause de son collier, ou de la balle qu'il tient dans sa main, je ne sais pas...

Son portable a sonné.

– J'en ai pour une minute, a-t-elle soufflé en s'éloignant.

Boris en a profité pour me prendre à part.

– Tu ne vois donc pas ce qu'elle manigance? Elle te manipule. Elle prétend être ton amie puis elle renseigne ses complices, les gangsters! Mais toi, tu refuses de regarder la vérité en face!

– Écoute, Boris...

La voix rageuse de Winter m'a stoppé net.

Elle avait déjà raccroché et surpris les accusations de mon ami.

– J'en ai marre! Si vous n'avez pas confiance en moi, vous deux, tant pis pour vous! J'ai fait beaucoup d'efforts pour supporter tes sarcasmes, Boris, mais cette fois tu as dépassé les bornes!

Sa voix s'est brisée. Elle était profondément blessée. Elle a attrapé son sac et l'a lancé d'un mouvement vif sur son épaule. Ses cheveux brillants voletaient dans tous les sens.

– Débrouille-toi seul, Cal! Manifestement, tu as déjà toute l'aide qu'il te faut. Je voulais te communiquer quelque chose de très important, visiblement tu n'y attaches pas la moindre importance. Je n'insiste pas. Si tu changes d'avis, tu sais où me trouver.

– Attends un instant! Qu'est-ce que tu voulais me dire?

Elle s'est glissée dans l'entrebâillement de la porte et a filé. Je me suis précipité dehors pour la retenir mais elle s'était déjà volatilisée.

Exaspéré contre Boris, je suis retourné à l'intérieur du hangar.

– Bravo! Elle proposait des pistes, elle avait des tas d'idées intéressantes, seulement il a fallu que tu t'en mêles!

– N'importe quel imbécile comprendrait que les chiffres sont déterminants dans cette Énigme! Pas besoin d'être un génie! Elle ne nous a rien appris de nouveau.

– Même quand elle a suggéré d'associer les mots de l'Énigme à chacun des dessins? ai-je rétorqué.

Nous nous sommes toisés, Boris et moi, alors que nous nous disputions rarement. Je détestais cette situation.

– On a besoin de toute l'aide possible, ai-je plaidé.

– Sérieusement, tu veux la mêler à notre enquête sur l'Énigme Ormond? Juste parce qu'elle t'a impressionné en te montrant le vitrail de l'ange dans le mausolée? Ou parce qu'elle prétend détenir une information capitale?

184

Regarde la situation en face, mec! Elle fait partie d'une bande de criminels qui ont déjà tenté de te liquider!

Nous sommes restés muets, trop en colère pour nous adresser la parole. Boris a fini par rompre le silence. Il s'est approché de moi.

– Elle est mignonne, d'accord, mais ses amis ont voulu te tuer!

J'ai soupiré, agacé. J'allais ramasser les dessins pour les ranger avec l'Énigme quand j'ai entendu une voiture s'arrêter dans un sinistre crissement de pneus.

– J'ai l'impression que ses potes sont déjà là! a crié Boris. Moi, je me casse.

Et il a disparu en courant.

Des portières ont claqué. Visiblement il ne s'agissait pas de pique-niqueurs en vadrouille...

Passer par l'extérieur était dangereux: je risquais d'être repéré. J'ai pris mon courage à deux mains et je me suis glissé dans l'eau.

Tout en évitant de faire des éclaboussures qui m'auraient trahi, j'ai franchi à la nage les vantaux de bois puis contourné le hangar pour épier les intrus.

Dès que j'ai reconnu la voiture garée en haut de la côte, j'ai paniqué!

C'était la Subaru noire. La voiture de Vulkan Sligo! Et j'avais oublié mon sac à dos. Je n'avais pas le temps de rebrousser chemin jusqu'au hangar: je devais m'échapper.

J'ai rejoint la rive, escaladé la berge et longé en courant des plages boueuses, dépassé d'autres hangars à bateaux, filé, courbé en deux, sous de petits pontons en bois, loin de la Subaru noire et de ses occupants.

Les paroles de Boris résonnaient à mes oreilles. Pourquoi avais-je fait confiance à Winter ? La dernière fois déjà, quand Gilet Rouge m'avait retrouvé et poursuivi dans les tunnels de la gare souterraine de Liberty Square, je venais juste de parler à Winter. Boris avait raison de se méfier d'elle. La Subaru noire semblait la suivre partout.

De plus en plus déconcerté, j'ai décidé d'avoir une confrontation avec elle afin de tirer les choses au clair une bonne fois pour toutes. Avait-elle donné mon adresse aux brutes de Sligo ou bien l'avaient-ils prise en filature ?

En quittant le hangar, Winter m'avait dit que je saurais où la trouver. C'était vrai.

Mausolée
Memorial Park

13:07

Elle était assise sous l'ange Ormond, sur l'un des bancs installés contre les murs du mausolée.

J'aurais parié qu'elle viendrait se réfugier ici.

Elle n'a pas levé les yeux quand je me suis approché, comme si elle m'attendait et sentait ma présence. Ses cheveux indisciplinés retombaient de chaque côté de son visage incliné sur ses genoux qu'elle entourait de ses bras. Son sac gisait par terre, à côté d'elle. Comment l'aborder ?

Lentement, elle s'est redressée. Je me suis aperçu qu'elle avait pleuré.

J'ai lancé :

– Où que tu ailles, Sligo et ses brutes ne sont jamais très loin, on dirait.

– De quoi tu parles ?

– Je leur ai échappé in extremis. Juste après ton départ, la Subaru noire s'est pointée au bord de la rivière.

Elle a écarquillé les yeux.

– Je n'y suis pour rien, je te le jure ! Peut-être ont-ils suivi Boris. Ils surveillent tous ses faits et gestes, tu le sais parfaitement ! Impossible qu'ils m'aient vue, je suis toujours très prudente, Cal. Pour ne pas te mettre en danger !

Mon cerveau me répétait que c'était forcément elle qui m'avait dénoncé, toutefois mon cœur voulait la croire.

Elle a essuyé ses yeux barbouillés de noir avec délicatesse.

– Bon, je vais te révéler ce que j'ai entendu. Tu comprendras mieux pourquoi Sligo semble immanquablement savoir où tu es. Et peut-être te décideras-tu enfin à me faire confiance.

187

– Je t'écoute.

– Bien. Hier, pendant que j'étais chez lui, son fidèle Zombrovski avait rendez-vous avec un type. J'ai entendu des éclats de voix dehors, à l'arrière de la maison. J'ai jeté un coup d'œil à travers les stores et surpris Zombrovski en pleine conversation avec un homme portant sous son œil un tatouage en forme de larme...

– Kevin !

– Tu le connais ?

– Il travaille pour Oriana de Witt.

– Justement ils parlaient d'elle ! Apparemment, ce Kevin doit de l'argent à Zombrovski. Une grosse dette de jeu. Il a beaucoup de mal à la rembourser. Du coup, pour éviter que Zombrovski ne l'envoie croupir au fond de l'océan, il lui a avoué qu'Oriana de Witt possède le moyen...

Elle s'est assuré que nous étions seuls dans le mausolée avant d'ajouter :

– Oriana de Witt possède le moyen de savoir à tout instant où tu te trouves.

Un frisson m'a traversé de la tête aux pieds.

– Comment est-ce possible ? La moitié du temps, je l'ignore moi-même !

– Je te répète simplement ce que j'ai entendu. À défaut d'argent, Kevin a livré cette information à Zombrovski. Pour s'acquitter de sa dette de jeu.

Je me suis souvenu de ma rencontre avec Kevin, quand il s'était fait tabasser devant le casino. Cette histoire semblait crédible.

Puis j'ai repensé à toutes ces fois où Sumo et lui étaient parvenus à me rattraper sans que je comprenne comment.

– Quel est son truc pour me localiser? Un espion chargé de me surveiller vingt-quatre heures sur vingt-quatre? De me suivre à la trace?

Winter a haussé les épaules en geste d'impatience.

– Je n'en ai aucune idée. Kevin n'a pas donné de détails. En tout cas, ça expliquerait pourquoi la bande de Sligo apparaît comme par enchantement partout où tu mets les pieds.

Je n'aimais pas ça du tout. J'ai scruté les alentours. Quelqu'un m'épiait-il? J'en avais la chair de poule. Mais Winter et moi étions seuls dans le mausolée.

– Je sais que Boris est persuadé que tout est ma faute, que je livre vos secrets à Sligo... Il se trompe. Lourdement. Kevin transmet les informations de sa patronne, Oriana de Witt, à Zombrovski qui, à son tour, les transmet à Sligo.

J'avais du mal à gober un truc pareil. Cependant, j'avais besoin de croire que Winter me disait la vérité.

– Kevin a aussi parlé de l'Énigme Ormond. Sur le moment, je n'ai pas réussi à faire le lien mais quand j'ai lu le texte tout à l'heure, je me suis souvenue de ses paroles.

J'étais suspendu à ses lèvres.

– Il me semble – je n'en suis pas sûre – qu'il a mentionné un « code à double clé ».

– Un code à double clé ? Qu'est-ce que cela signifie ?

– Je l'ignore. Il doit y avoir un rapport avec la résolution de l'Énigme. Les chiffres cités sont sans doute importants.

Tout à coup, elle m'a détaillé de la tête aux pieds.

– Ton sac à dos ! Où est-il ? Ne me dis pas que tu l'as laissé là-bas ?

L'expression de mon visage décomposé par l'angoisse a suffi à lui donner la réponse.

– Espérons que tu le retrouveras en rentrant au hangar à bateaux, a-t-elle soupiré.

Elle s'est levée en faisant voler sa jupe violette avant de ramasser son sac. Nous nous sommes éloignés de l'ange Ormond, en direction des portes rouillées qui s'ouvraient sur l'escalier descendant vers le parc.

– À mon avis, a repris Winter, « code à double clé » signifie qu'il faut déchiffrer l'Énigme avec deux clés différentes.

J'ai lâché un juron.

– On n'en possède même pas une !

Nous sommes arrivés tout essoufflés en haut des marches.

– J'ai besoin de ton aide, Winter. Même si tu es furieuse contre Boris, j'aimerais que tu tentes d'élucider l'Énigme. Je détiens aussi des lettres que je souhaiterais vous montrer, à tous les deux.

À ce moment précis, la Subaru noire a tourné dans l'allée conduisant à Memorial Park. Je n'en croyais pas mes yeux !

– Sligo ! s'est écriée Winter. Il ne faut surtout pas qu'il me surprenne avec toi !

Affolés, nous avons cherché du regard une issue pour nous échapper du parc, cependant je savais par expérience qu'il n'en existait pas.

À cet instant, deux silhouettes ont jailli de la voiture. D'une seconde à l'autre, elles me repéreraient !

– Reste ici. Ne bouge pas, m'a ordonné Winter en me poussant à l'intérieur du mausolée. Débrouille-toi pour qu'ils ne te voient pas. J'ai une idée !

Dans un tourbillon d'étoffe violette, elle a dévalé les marches et s'est mise à courir à toute vitesse sur le sentier.

Au bout d'un moment, pensant que le danger s'était éloigné, j'ai jeté un œil furtif au-dehors. Winter était en grande conversation avec Bruno, alias Gilet Rouge, et Zombrovski. Aucun des deux ne regardait dans ma direction.

Quelques minutes plus tard à peine, elle est montée à l'arrière de la voiture tandis que les deux autres s'installaient à l'avant. La Subaru a fait demi-tour sur les chapeaux de roues avant de disparaître dans un vrombissement de moteur.

Soulagé, je me suis laissé glisser à terre. Winter avait réussi à les dissuader de s'approcher. Les avait-elle lancés sur une fausse piste? Que leur avait-elle raconté?

Il fallait que je retourne au hangar à bateaux récupérer mon sac à dos. J'espérais qu'on ne m'aurait rien volé. Un mauvais pressentiment me faisait pourtant redouter le contraire.

Je me suis mis en route. La colère et la confusion accéléraient les battements de mon cœur qui résonnait au rythme de mes pas pressés.

Au coin de la rue, j'ai pris le temps de vérifier que la voie était libre. Pas de Subaru noire à l'horizon. Toutefois, je restais sur mes gardes. Tête baissée, je m'efforçais de paraître invisible. J'ai repris le chemin de Greenaway Park, marchant quand j'étais entouré de passants, courant dans les rues désertes.

Il m'était insupportable de penser qu'Oriana de Witt pouvait suivre le moindre de mes mouvements. Je ne cessais de jeter des regards inquiets autour de moi. Il me paraissait impossible qu'elle ait exigé qu'on épie tous mes déplacements. Je surveillais néanmoins chaque individu que je croisais d'un œil soupçonneux, me demandant: « Est-ce lui qui me file? »

192

14:23

J'ai dévalé la pente jusqu'au hangar à bateaux.
Je me suis arrêté net dans mon élan en voyant la porte pendre lamentablement sur ses gonds. Mon abri avait été saccagé! Tous mes vêtements étaient éparpillés sur le sol.

Je me suis précipité vers mon sac à dos, qui gisait retourné à l'envers. J'ai tout de suite su que les dessins et l'Énigme n'y étaient plus!

Bruno et Zombrovski s'en étaient emparés!

Je n'ai pas eu le temps de découvrir ce qu'on m'avait volé d'autre : j'ai senti une main me tirer en arrière, puis une douleur cuisante me transpercer le cou. Je me suis effondré.

15:56

Tout tournait autour de moi. Je nageais en plein chaos, cerné par un grand flou. J'ai basculé au fond d'un puits noir.

Des sons étranges ont résonné à mes oreilles.

Des cris, des gémissements, parfois dans des langues inconnues. J'ai tenté de bouger. Impossible.

De nouveau les ténèbres m'ont englouti.

30 avril
J –246

23:12

Mes yeux se sont brusquement ouverts. J'ai regardé autour de moi. J'étais allongé sur un lit, dans une pièce où tout était blanc : les murs, le plafond, et même les rideaux accrochés à la fenêtre. J'ai voulu me redresser, mais un épais tissu restreignait mes mouvements, me bloquait les bras.

Que s'était-il passé déjà ? Je revoyais Winter dans le mausolée de Memorial Park en train de me parler du « code à double clé ». Après, j'étais retourné chercher mon sac à dos au hangar à bateaux. Une dernière image me restait en mémoire : le sac vide. Les dessins de mon père et l'Énigme Ormond avaient disparu.

Une douleur au cou m'a rappelé la sensation cuisante que j'avais ressentie juste avant de sombrer dans un brouillard ténébreux.

J'ignorais depuis combien de temps je planais dans cet état cauchemardesque. Des visions effrayantes se bousculaient derrière mes paupières closes. Des cris épouvantables me transperçaient les tympans. Je n'avais strictement aucune idée de l'endroit où je me trouvais.

Une sueur glacée m'a enveloppé de la tête aux pieds quand les bruits dont j'étais environné se sont précisés. Les cris, les gémissements, les sanglots, tous ces sons étranges que j'avais perçus pendant ma léthargie comateuse devenaient à présent beaucoup plus nets.

Pourquoi hurlaient-ils ainsi?

Une fois de plus, je me suis efforcé de libérer mes bras. En vain. Un lien les enserrait. J'ai baissé les yeux. On m'avait habillé d'une sorte de chemise enfilée à l'envers. Qui avait eu cette drôle d'idée? J'avais l'esprit encore trop embrouillé pour imaginer une réponse.

J'ai constaté avec soulagement que j'avais les pieds libres. Je me suis débarrassé du drap et levé, titubant un peu avant de retrouver mon équilibre.

Je suis allé regarder par la fenêtre munie de gros barreaux de fer. Ma chambre se situait au premier étage d'une construction en grès bâtie autour d'un jardin carré. Trois personnes, toutes vêtues d'une longue chemise de nuit blanche, marchaient dans l'allée centrale en traînant les pieds.

En parcourant la pièce, mon regard a balayé les draps sur lesquels se détachaient des lettres grises imprimées en arc de cercle. Leur signification m'a soudain sauté à la figure : Hôpital psychiatrique Leechwood.

La situation m'échappait complètement.

J'ai aperçu une feuille fixée au pied de mon lit. Je me suis approché pour la lire.

FICHE PATIENT

Nom du patient :	Benjamin Galloway
Date d'admission :	29 avril
Médecin consultant :	Dr Elliot Porter
Psychiatre :	Dr Alistair Glasser

Diagnostic : Délire et paranoïa aigus

Traitement : Sédatonine – injection intraveineuse (5 ml toutes les 6 heures)

ATTENTION :

Patient très dangereux. Aucun déplacement sans contention de niveau 5.

Hôpital psychiatrique Leechwood

197

J'ai commencé à comprendre… et l'horreur m'a envahi.

On m'avait attribué une nouvelle identité et fait interner sous le nom de Ben Galloway dans un asile d'aliénés !

Soit ce Dr Elliot Porter avait été trompé par des documents falsifiés, soit il participait au complot visant à m'enfermer ici, à l'hôpital psychiatrique Leechwood.

Je fixais la feuille sans y croire. Puis la rage s'est emparée de moi. On m'avait piégé ! Je me suis jeté contre la porte sur laquelle j'ai cogné le plus fort possible avec mes pieds nus en hurlant :

– Laissez-moi sortir ! Je ne suis pas Ben Galloway ! Vous vous trompez ! Je dois voir un médecin !

Personne n'est venu. Cependant mes cris ont excité les autres internés. Ils n'ont pas tardé à joindre leurs gémissements et leurs hurlements aux miens, d'un bout à l'autre du couloir où se trouvait ma cellule.

Je me suis effondré à côté du lit. Cet endroit était une véritable prison et personne ne viendrait me libérer. Comment Boris aurait-il pu ? Je ne savais même pas où il était, s'il avait réussi à s'enfuir du hangar à bateaux ou s'il s'était fait enlever lui aussi…

Vulkan Sligo était capable de tout ! Sans parler d'Oriana de Witt !

J'ai examiné la chambre, à la recherche de mes affaires.

Il n'y avait rien. Pas de vêtements. Pas de chaussures. Ni table, ni chaise. Des murs absolument nus, en dehors d'une liste de consignes à respecter en cas d'incendie. Mon téléphone portable avait disparu. Je ne possédais plus aucun habit, sinon cette camisole de force qui m'emprisonnait les bras, et la longue chemise de nuit blanche de l'hôpital.

Il fallait que je me sauve de là! Les hommes de main de Sligo avaient dû voler les dessins et l'Énigme Ormond pour les apporter directement à leur patron.

Ce dernier disposait peut-être de l'information du code à double clé, grâce à Kevin, ce larbin à la solde d'Oriana de Witt.

Et s'ils parvenaient à déchiffrer l'Énigme? Vulkan Sligo n'aurait aucun mal à réussir avec l'aide de Winter.

Winter!

Tout tournait autour d'elle. M'avait-elle joué la comédie? Si c'était le cas, j'étais tombé dans le panneau. Comment avais-je pu être aussi stupide?

Tout ça parce que je m'étais laissé attendrir deux ou trois fois par sa soudaine gentillesse. J'étais furieux contre elle, furieux contre moi-même. J'aurais dû écouter Boris. Elle m'avait manipulé afin de gagner ma confiance.

C'était une voleuse, une traîtresse. À ce moment précis, je l'ai haïe. Et en même temps je n'arrivais pas à croire en son double jeu...

Boris m'en voudrait à mort. Non seulement j'avais perdu tous les indices concernant le secret de mon père, mais je l'avais mis en danger.

Comment m'échapper de Leechwood? Je devais à tout prix sortir d'ici, retrouver l'Énigme Ormond et les dessins de mon père, et me rendre sans tarder à Mount Helicon, chez mon grand-oncle Bartholomé.

Je me suis à nouveau jeté de tout mon poids contre la porte en hurlant à tue-tête:

– À l'aide! Je veux parler à un médecin! Il y a erreur!

Cette fois, j'ai entendu des pas lourds résonner dans le couloir. Quelqu'un a déverrouillé ma porte.

– Je vous en prie! Il s'est produit une terrible erreur, ai-je tenté d'expliquer aux deux costauds en uniforme vert qui venaient de pénétrer dans ma chambre. Je ne suis pas Ben Galloway! Vous devez me libérer!

Sans un mot, les deux infirmiers m'ont soulevé, plaqué sur le lit et attaché avec de grosses sangles blanches. J'étais complètement immobilisé.

– S'il vous plaît! Je dois voir un médecin! Appelez le directeur de l'établissement! Je ne suis pas Ben Galloway!

Les deux hommes sont sortis sans avoir prononcé une seule parole. Puis ils ont claqué la porte derrière eux et l'ont fermée à clé.

Couché sur le lit, je me suis mis à hurler.

*Pourquoi avoir enfermé Cal
dans un asile ?*

Qui s'est emparé de l'Énigme Ormond ?

Winter a-t-elle trahi Cal ?

Vous le saurez dans

MAI

Retrouve Cal
et toute l'actualité de la série

sur le site

www.livre-attitude.fr

L'auteur

Née à Sydney, Gabrielle Lord est l'auteur de thrillers la plus connue d'Australie. Titulaire d'une maîtrise de littérature anglaise, elle a animé des ateliers d'écriture. Sa quinzaine de romans pour adultes connaît un large succès international.

Dans chaque intrigue policière, elle attache une importance primordiale à la crédibilité et tient à faire de ses livres un fidèle reflet de la réalité.

Elle a suivi des études d'anatomie à l'université de Sydney, assiste régulièrement aux conférences de médecins légistes, se renseigne auprès de sociétés de détectives privés, interroge le personnel de la morgue, la brigade canine ou les pompiers, et effectue aussi des recherches sur les méthodes de navigation et la topographie. Au fil du temps, elle a tissé des liens avec un solide réseau d'experts.

Depuis plusieurs années, Gabrielle Lord désirait écrire des romans d'action et de suspense pour la jeunesse. C'est ainsi qu'est née la série *Conspiration 365*, qui met en scène le personnage de Cal Ormond, adolescent aux prises avec son destin.

Achevé d'imprimer en France en août 2015
sur les presses de l'imprimerie Jouve
Dépôt légal : mars 2013
N° d'édition : 6499 - 04
N° d'impression : 2230012B